EGMONT

We bring stories to life

First published in Great Britain 2017, by Egmont UK Limited
The Yellow Building, 1 Nicholas Road
London W11 4AN

Written by Craig Jelley
Additional material by Stephanie Milton, Marsh Davies and Owen Jones
Designed by Joe Bolder and John Stuckey
Illustrations by Ryan Marsh, John Stuckey and James Bale
Cover designed by John Stuckey
Cover illustration by Ryan Marsh
Production by Louis Harvey and Laura Grundy
Special thanks to Lydia Winters, Owen Jones, Junkboy,
Martin Johansson, Marsh Davies and Jesper Öqvist.

MOJANG

Tytuł oryginału: Minecratf. Guide to: creative
© for the Polish edition by Egmont Polska Sp. z o.o., Warszawa 2017
Tłumaczenie: Anna Hikiert
Redakcja: Rafał Sarna
Korekta: Katarzyna Sarna
Wydanie pierwsze, Warszawa 2017
Egmont Polska Sp. z o.o.
ul. Dzielna 60, 01-029 Warszawa
www.egmont.pl/ksiazki
ISBN 978-83-281-2064-8
Koordynacja produkcji: Beata Rukat
Skład: EKART
Druk: Włochy
ID EGM17GL01083-01

RADY DLA MŁODYCH FANÓW DOTYCZĄCE BEZPIECZEŃSTWA

Czas spędzony w sieci to świetna zabawa! Oto parę prostych zasad, dzięki którym młodsi
fani będą bezpieczni podczas gry, a internet stanie się świetnym źródłem rozrywki:
– Nigdy nie podawaj swojego prawdziwego nazwiska – nie używaj go nawet
jako nazwy użytkownika.
– Nigdy nie zdradzaj nikomu żadnych swoich danych osobowych.
– Nigdy nie mów nikomu, ile masz lat ani do której szkoły chodzisz.
– Nigdy nie podawaj nikomu – oprócz rodzica czy opiekuna – swojego hasła.
– Pamiętaj, że aby założyć konto na niektórych stronach, musisz mieć ukończone 13 lat.
Zawsze czytaj regulamin strony, a zanim się zarejestrujesz, zapytaj o zgodę rodzica lub opiekuna.
– Jeśli coś cię zaniepokoi, zawsze informuj rodzica lub opiekuna.

Bądź bezpieczny w sieci. Wszystkie adresy www wymienione w tej książce były aktualne
w chwili oddawania jej do druku. Wydawnictwo Egmont nie odpowiada jednak za treści
udostępniane przez osoby trzecie. Proszę pamiętać, że treści online mogą być modyfikowane,
a strony internetowe – zawierać treści nieodpowiednie dla dzieci. Zalecamy,
aby dzieci korzystały z internetu pod nadzorem dorosłych.

PODRĘCZNIK
⚒ KREATYWNEGO BUDOWANIA

SPIS TREŚCI

WPROWADZENIE

Witaj w oficjalnym *Przewodniku kreatywnego budowania*! Niemal wszystko, co robisz w Minecrafcie, wymaga kreatywności. Chociaż tej prawdziwej trudno jest się nauczyć, mamy nadzieję, że ten przewodnik zainspiruje cię do stworzenia niesamowitych i naprawdę pięknych budowli.

Podzieliliśmy go na trzy części. Z pierwszej dowiesz się, jak zaplanować budowę nowych konstrukcji. Bez dobrego przygotowania nawet najprostsza budowla może okazać się niewypałem. Wyjaśnimy też, jak wykorzystać ukształtowanie terenu, by ułatwić sobie pracę.

Następnie omówimy elementy, które będziesz mógł zawrzeć w swoich budowlach. Tryb kreatywny zapewnia nieograniczony dostęp do wszystkich materiałów, jednak to, które z nich wykorzystasz, wpłynie na wygląd i funkcjonalność całości. Mamy nadzieję, że nie poczujesz się przytłoczony wyborami, jakich będziesz musiał dokonać!

W trzeciej część przewodnika skupimy się na szczegółach. Dodanie paru detali może sprawić, że twoje budowle staną się naprawdę wyjątkowe! Dowiesz się także, jak dekorować budynki i projektować własne motywy, oraz jak oświetlić całość, aby była jeszcze bardziej efektowna.

Puść wodze fantazji! Bądź kreatywny!

OWEN JONES
ZESPÓŁ MOJANG

CIEKAWOSTKI

W całej książce znajdziesz podobne ramki, w których zawarliśmy specjalne informacje, pochodzące prosto od projektantów z firmy Mojang.

PLANOWANIE

W tej części przybliżymy ci podstawowe zasady planowania
budynków. Są one zawsze ważne – niezależnie od tego,
czy wybierasz najlepszą lokalizację, tworzysz fundamenty,
czy wybierasz tekstury i kolor budowli.

ZANIM ZACZNIESZ

Nim dołączysz do najwytrawniejszych budowniczych Minecrafta, musisz zapoznać się z kilkoma informacjami. Poniższe rady zagwarantują, że odpowiednio zabierzesz się do dzieła i znajdziesz się na drodze wiodącej do sukcesu!

ZALETY TRYBU KREATYWNEGO

Jeśli zagrasz w trybie kreatywnym, będziesz mógł wznosić niesamowite budowle szybko i bez trudu. Poniżej znajdziesz zestawienie najważniejszych cech, które czynią ten tryb tak przydatnym dla budowniczych.

1 W trybie kreatywnym wrogie moby są pasywne, więc podczas budowania nie będziesz musiał z nimi walczyć.

2 Podczas pracy nie będziesz tracił punktów zdrowia i nie będziesz robił się głodny, więc nie będziesz musiał pamiętać o pilnowaniu pasków zdrowia i jedzenia.

3 Będziesz mógł latać! Przyciśnij dwukrotnie przycisk pozwalający skakać – od teraz w razie potrzeby możesz opadać i unosić się do góry, co znacznie ułatwi ci stawianie i dekorowanie wysokich budynków.

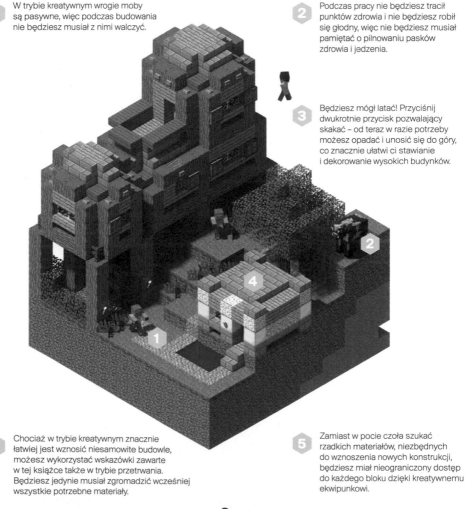

4 Chociaż w trybie kreatywnym znacznie łatwiej jest wznosić niesamowite budowle, możesz wykorzystać wskazówki zawarte w tej książce także w trybie przetrwania. Będziesz jedynie musiał zgromadzić wcześniej wszystkie potrzebne materiały.

5 Zamiast w pocie czoła szukać rzadkich materiałów, niezbędnych do wznoszenia nowych konstrukcji, będziesz miał nieograniczony dostęp do każdego bloku dzięki kreatywnemu ekwipunkowi.

WSKAZÓWKI DLA POCZĄTKUJĄCYCH

Początkowo możesz mieć trudności ze wznoszeniem imponujących, dużych budowli, szczególnie jeśli jesteś przyzwyczajony do tworzenia konstrukcji, które mają być jedynie funkcjonalne. Poniższe wskazówki sprawią, że twoje kreatywne konstrukcje architektoniczne nabiorą rozmachu i stylu.

ZNAJDŹ INSPIRACJĘ
Poszukaj motywu, który określi styl budynku. Niezależnie od tego, czy zdecydujesz się na ruchliwy dworzec kolejowy, fortecę krasnoludów, czy średniowieczną katedrę, możesz czerpać natchnienie z książek, filmów, telewizji i internetu.

BIOMY
W niektórych biomach łatwiej jest wznosić budowle niż w innych. Jeśli wybierzesz biom równinny, przed rozpoczęciem prac nie będziesz musiał w żaden sposób ingerować w krajobraz. Gdybyś jednak chciał pobudować się w puszczy, przygotuj się na walkę z bujną roślinnością. Zanim wybierzesz biom, ustal, ile masz czasu.

LOKALIZACJA
Księżycowa baza będzie wyglądała dziwnie nad rzeką, podobnie jak wieżowiec w środku dżungli. Nim zaczniesz budować, poświęć nieco czasu na rozważny wybór miejsca.

EKSPERYMENTUJ!
Dach z dębowych schodów? Klapy jako okiennice? Minecraftowe bloki mają wiele zastosowań – możesz wykorzystać je w swojej budowli na mnóstwo (czasem nieoczekiwanych!) sposobów.

GŁĘBIA I DETALE
Lite bloki to idealny materiał do nadania budowli kształtu, jednak wielu z nich brakuje detali. Do uzyskania głębi we wnętrzach wykorzystaj bloki niestandardowe, jak na przykład półbloki i schody.

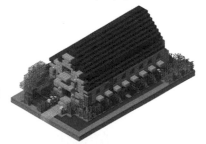

LOKALIZACJA

Miejsce, w którym postanowisz się pobudować, jest równie ważne jak sam budynek. Powinieneś więc upewnić się, że nadasz swojemu genialnemu pomysłowi odpowiednią oprawę. Możesz albo wyszukać idealną lokalizację, albo stworzyć ją samemu.

BIOMY

Każdy biom i jego warianty w Minecrafcie mają cechy, które możesz wykorzystać w różnych rodzajach budowli. Musisz zdecydować, jakie otoczenie najlepiej będzie pasowało do budynku, który chcesz stworzyć.

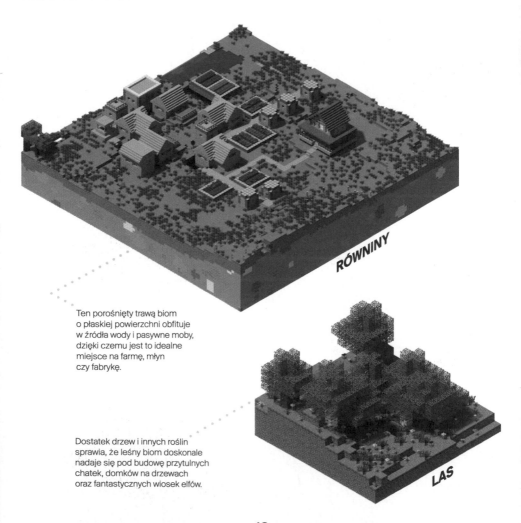

RÓWNINY

Ten porośnięty trawą biom o płaskiej powierzchni obfituje w źródła wody i pasywne moby, dzięki czemu jest to idealne miejsce na farmę, młyn czy fabrykę.

Dostatek drzew i innych roślin sprawia, że leśny biom doskonale nadaje się pod budowę przytulnych chatek, domków na drzewach oraz fantastycznych wiosek elfów.

LAS

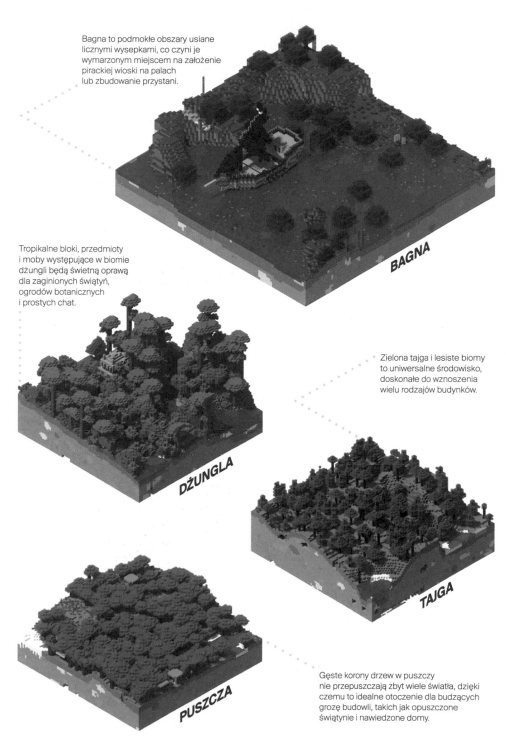

Bagna to podmokłe obszary usiane licznymi wysepkami, co czyni je wymarzonym miejscem na założenie pirackiej wioski na palach lub zbudowanie przystani.

BAGNA

Tropikalne bloki, przedmioty i moby występujące w biomie dżungli będą świetną oprawą dla zaginionych świątyń, ogrodów botanicznych i prostych chat.

DŻUNGLA

Zielona tajga i lesiste biomy to uniwersalne środowisko, doskonałe do wznoszenia wielu rodzajów budynków.

TAJGA

Gęste korony drzew w puszczy nie przepuszczają zbyt wiele światła, dzięki czemu to idealne otoczenie dla budzących grozę budowli, takich jak opuszczone świątynie i nawiedzone domy.

PUSZCZA

11

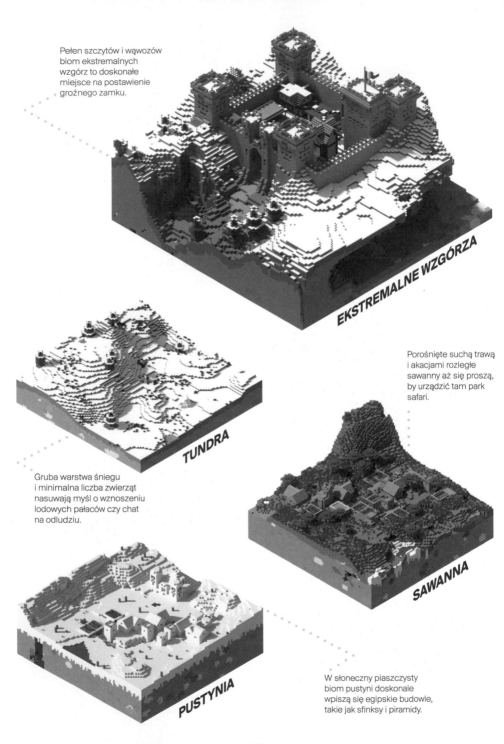

Pełen szczytów i wąwozów biom ekstremalnych wzgórz to doskonałe miejsce na postawienie groźnego zamku.

EKSTREMALNE WZGÓRZA

TUNDRA

Porośnięte suchą trawą i akacjami rozległe sawanny aż się proszą, by urządzić tam park safari.

Gruba warstwa śniegu i minimalna liczba zwierząt nasuwają myśl o wznoszeniu lodowych pałaców czy chat na odludziu.

SAWANNA

PUSTYNIA

W słoneczny piaszczysty biom pustyni doskonale wpiszą się egipskie budowle, takie jak sfinksy i piramidy.

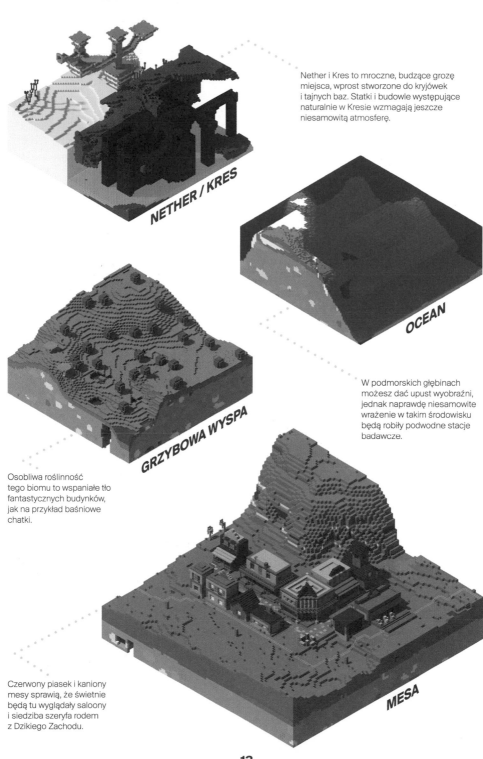

Nether i Kres to mroczne, budzące grozę miejsca, wprost stworzone do kryjówek i tajnych baz. Statki i budowle występujące naturalnie w Kresie wzmagają jeszcze niesamowitą atmosferę.

NETHER / KRES

OCEAN

W podmorskich głębinach możesz dać upust wyobraźni, jednak naprawdę niesamowite wrażenie w takim środowisku będą robiły podwodne stacje badawcze.

GRZYBOWA WYSPA

Osobliwa roślinność tego biomu to wspaniałe tło fantastycznych budynków, jak na przykład baśniowe chatki.

MESA

Czerwony piasek i kaniony mesy sprawią, że świetnie będą tu wyglądały saloony i siedziba szeryfa rodem z Dzikiego Zachodu.

KRAJOBRAZ NATURALNY

Od zwykłych rzek aż po zabudowania wiosek – krajobraz Minecrafta pełen jest naturalnych elementów, które możesz wykorzystać, wznosząc swoje budowle. Możesz pozostawić je niezmienione lub zmienić je tylko odrobinę. Dzięki otoczeniu możesz stworzyć coś naprawdę imponującego.

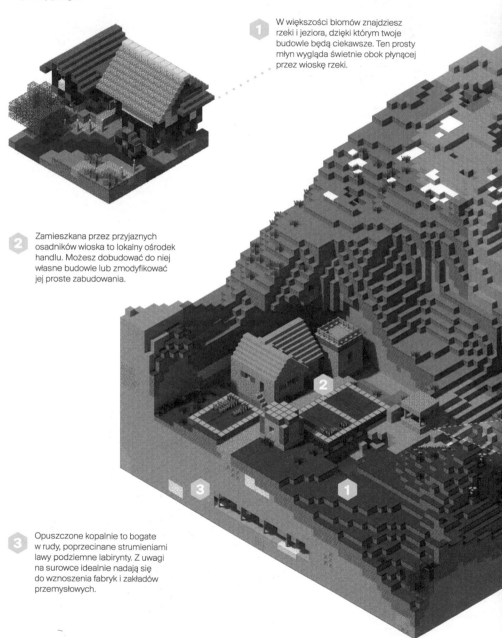

1 W większości biomów znajdziesz rzeki i jeziora, dzięki którym twoje budowle będą ciekawsze. Ten prosty młyn wygląda świetnie obok płynącej przez wioskę rzeki.

2 Zamieszkana przez przyjaznych osadników wioska to lokalny ośrodek handlu. Możesz dobudować do niej własne budowle lub zmodyfikować jej proste zabudowania.

3 Opuszczone kopalnie to bogate w rudy, poprzecinane strumieniami lawy podziemne labirynty. Z uwagi na surowce idealnie nadają się do wznoszenia fabryk i zakładów przemysłowych.

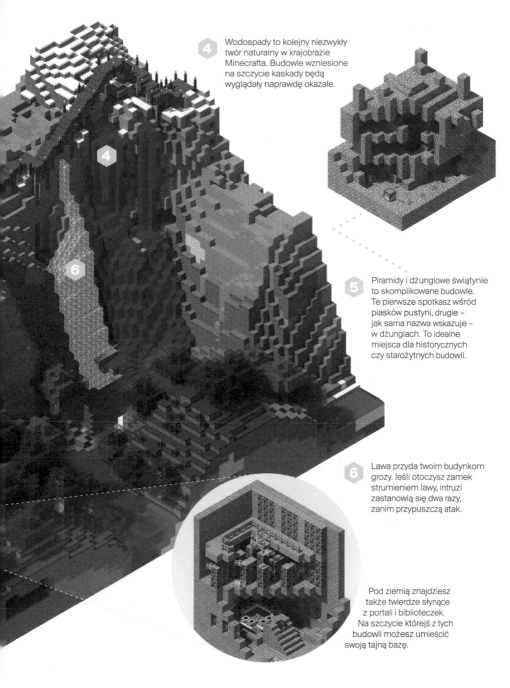

Wodospady to kolejny niezwykły twór naturalny w krajobrazie Minecrafta. Budowle wzniesione na szczycie kaskady będą wyglądały naprawdę okazale.

Piramidy i dżunglowe świątynie to skomplikowane budowle. Te pierwsze spotkasz wśród piasków pustyni, drugie – jak sama nazwa wskazuje – w dżunglach. To idealne miejsca dla historycznych czy starożytnych budowli.

Lawa przyda twoim budynkom grozy. Jeśli otoczysz zamek strumieniem lawy, intruzi zastanowią się dwa razy, zanim przypuszczą atak.

Pod ziemią znajdziesz także twierdze słynące z portali i biblioteczek. Na szczycie którejś z tych budowli możesz umieścić swoją tajną bazę.

Jeśli nie masz ochoty wykorzystywać żadnego z tych terenów, możesz utworzyć własny, pasujący do twojego planu. Mając odpowiednio dużo czasu, stworzysz dosłownie wszystko – od wielkiego krateru na kwarcowym księżycu, przez ośnieżone kamienne miasto, aż po barwną krainę słodyczy.

WYGLĄD

Od bloków, z których wzniesiesz swoją budowlę, będzie zależał jej wygląd i charakter. Każdy detal ma znaczenie – od tonacji barwnej, poprzez tekstury, aż po elementy użyte do wykończenia.

PALETA KOLORÓW

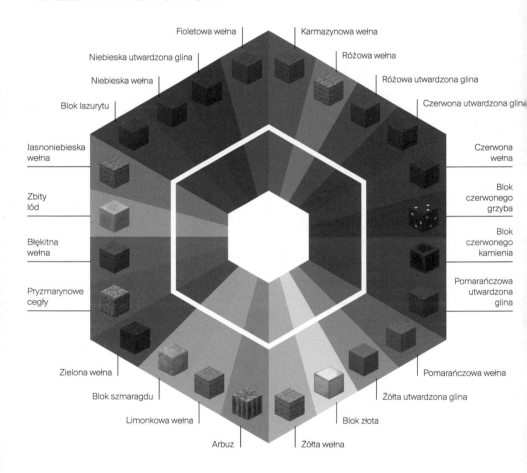

Fioletowa wełna | Karmazynowa wełna
Niebieska utwardzona glina | Różowa wełna
Niebieska wełna | Różowa utwardzona glina
Blok lazurytu | Czerwona utwardzona glina
Jasnoniebieska wełna | Czerwona wełna
Zbity lód | Blok czerwonego grzyba
Błękitna wełna | Blok czerwonego kamienia
Pryzmarynowe cegły | Pomarańczowa utwardzona glina
Zielona wełna | Pomarańczowa wełna
Blok szmaragdu | Żółta utwardzona glina
Limonkowa wełna | Blok złota
Arbuz | Żółta wełna

KOŁO BARW

Koło barw pomoże ci wybrać schemat kolorystyczny budynku. Obejmuje ono pełen zakres barw, różniących się nieco odcieniami. Barwy oddziałują na siebie wzajemnie, tworząc różne schematy kolorystyczne. Tę cechę możesz wykorzystać podczas dekorowania wnętrz albo elewacji budynków.

16

KOLORY ANALOGICZNE

Najprostszym układem kolorystycznym jest zestawienie kolorów analogicznych. Uzyskasz je, wybierając dwa lub trzy odcienie sąsiadujące ze sobą na kole barw. Mogą to być na przykład bloki złota, żółtej wełny i żółtej utwardzonej gliny.

KOLORY DOPEŁNIAJĄCE

Zestaw barw dopełniających stworzysz, wybierając kolory znajdujące się naprzeciwko siebie na kole barw. Będą ze sobą mocno kontrastować, dając ciekawy efekt.

TRIADA KOLORÓW

Triada kolorystyczna jest nieco bardziej skomplikowana. Aby ją uzyskać, wybierz trzy bloki rozmieszczone w równych odstępach na kole barw. Urozmaicisz w ten sposób wygląd swojego budynku i stanie się on ciekawszy.

SKALA SZAROŚCI

Skalę szarości (inaczej tryb monochromatyczny) tworzą odcienie pomiędzy czernią a bielą, gdzie czarny jest uznawany za brak koloru, biel zaś jest połączeniem wszystkich barw.
Czerń i biel mocno kontrastują ze sobą, jednak mogą być też użyte do stonowania konstrukcji, w których wykorzystano dużo różnobarwnych bloków.

TWORZENIE GŁĘBI

Jednym ze sposobów na urozmaicenie elewacji budynku jest nadanie jej głębi. Warto poświęcić nieco czasu na wzbogacenie konstrukcji elementami, które przełamią nudę płaskich powierzchni. Najlepiej nadają się do tego celu bloki niepełne, takie jak półbloki i schody, mające inne kształty i rozmiary niż zwykłe bloki.

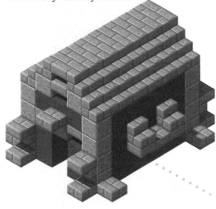

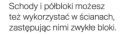

Schody i półbloki możesz też wykorzystać w ścianach, zastępując nimi zwykłe bloki.

Schody i półbloki możesz umieszczać na powierzchni ścian, tworząc ozdobne elementy.

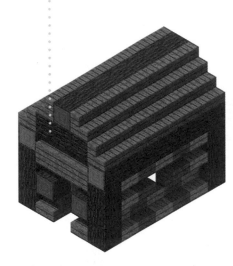

Innym sposobem na stworzenie wrażenia głębi jest zbudowanie ścian grubych na dwa bloki. Usuwając część z nich, uzyskasz zróżnicowaną fakturę.

Możesz też łączyć te dwie metody i korzystać z niepełnych bloków przy tworzeniu ścian grubych na dwa bloki.

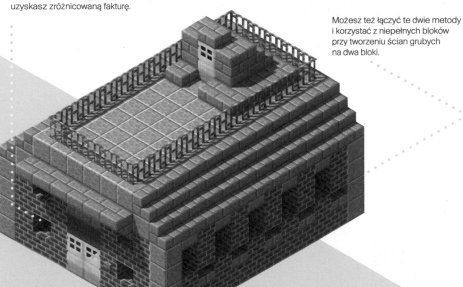

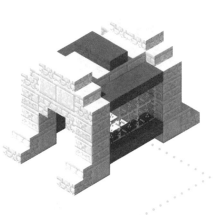

Jeśli umieścisz szybę między blokami, znajdzie się ona pośrodku ścian sąsiednich bloków – w przeciwieństwie do bloków litego szkła, które są rozmiarów zwykłych bloków.

Ze szkła możesz też tworzyć okna wykuszowe.

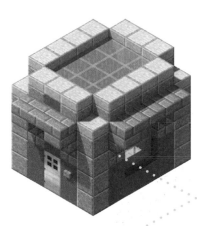

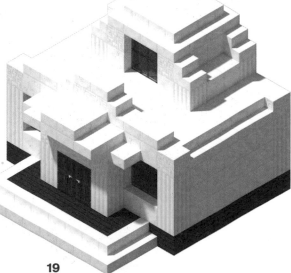

Do stworzenia parapetów i markiz możesz wykorzystać niepełne bloki.

Masz ochotę wzbogacić budynek o okapy? Użyj schodów, aby zrobić dla nich wsporniki.

Drzwi, półbloki i schody mogą posłużyć do stworzenia schodków prowadzących do budynku i ozdobienia wejść.

STYLIZACJA

Niektóre bloki idealnie pasują do pewnych aranżacji tematycznych – zawdzięczają to swojej barwie bądź teksturze. Łącząc odpowiednio dobrane bloki, możesz tworzyć nieskończenie wiele kombinacji stylistycznych. Zainspiruj się poniższymi przykładami i stwórz własne wariacje.

Styl steampunkowy łączy w sobie elementy typowe dla wieku pary i rewolucji przemysłowej, takie jak koła, tryby i zegary.

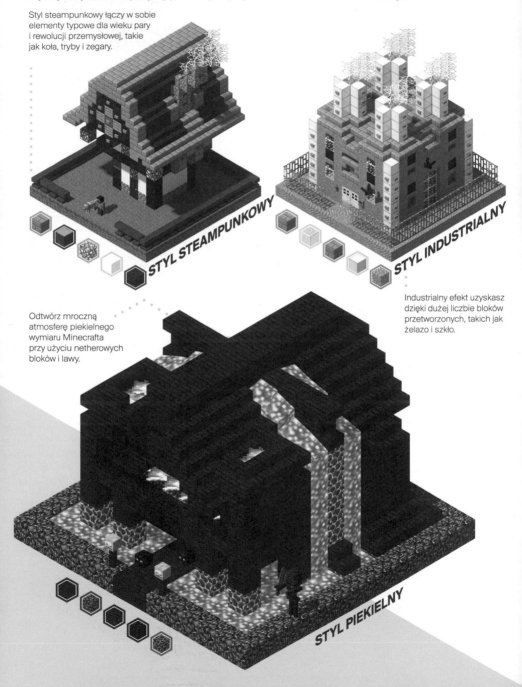

Industrialny efekt uzyskasz dzięki dużej liczbie bloków przetworzonych, takich jak żelazo i szkło.

Odtwórz mroczną atmosferę piekielnego wymiaru Minecrafta przy użyciu netherowych bloków i lawy.

STYL STEAMPUNKOWY

STYL INDUSTRIALNY

STYL PIEKIELNY

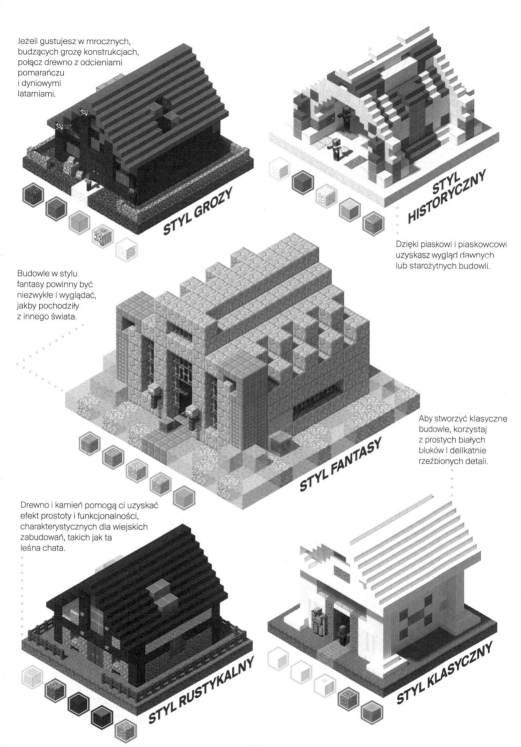

Jeżeli gustujesz w mrocznych, budzących grozę konstrukcjach, połącz drewno z odcieniami pomarańczu i dyniowymi latarniami.

STYL GROZY

STYL HISTORYCZNY

Dzięki piaskowi i piaskowcowi uzyskasz wygląd dawnych lub starożytnych budowli.

Budowle w stylu fantasy powinny być niezwykłe i wyglądać, jakby pochodziły z innego świata.

STYL FANTASY

Aby stworzyć klasyczne budowle, korzystaj z prostych białych bloków i delikatnie rzeźbionych detali.

Drewno i kamień pomogą ci uzyskać efekt prostoty i funkcjonalności, charakterystycznych dla wiejskich zabudowań, takich jak ta leśna chata.

STYL RUSTYKALNY

STYL KLASYCZNY

BLOKOWE TRIKI

W swoich budowlach możesz wykorzystać setki różnych bloków. Wiele z nich pełni ściśle określone funkcje, jednak przy odrobinie wyobraźni możesz wykorzystać je do całkiem nowych, nieoczywistych celów. Zapoznaj się ze sprytnymi trikami, które będziesz mógł wykorzystać do ozdobienia budynków.

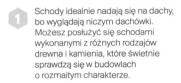 Schody idealnie nadają się na dachy, bo wyglądają niczym dachówki. Możesz posłużyć się schodami wykonanymi z różnych rodzajów drewna i kamienia, które świetnie sprawdzą się w budowlach o rozmaitym charakterze.

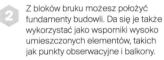 Z bloków bruku możesz położyć fundamenty budowli. Da się je także wykorzystać jako wsporniki wysoko umieszczonych elementów, takich jak punkty obserwacyjne i balkony.

Płoty, stawiane zwykle do trzymania mobów na dystans i zwierząt w zagrodach, mogą również posłużyć jako barierki, balustrady i elementy dachów.

CIEKAWOSTKI

Projektanci wnętrz mogą zastosować jedną ze sztuczek Jeba: płot z umieszczonym na górze blokiem listowia świetnie imituje drzewka w donicach.

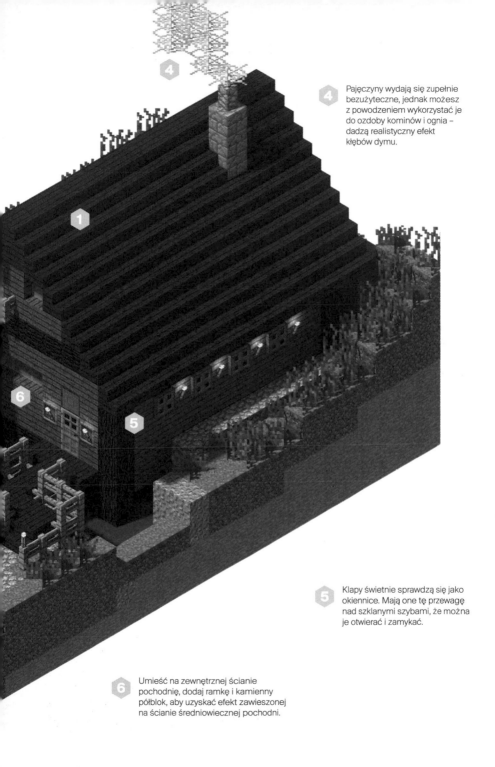

Pajęczyny wydają się zupełnie bezużyteczne, jednak możesz z powodzeniem wykorzystać je do ozdoby kominów i ognia – dadzą realistyczny efekt kłębów dymu.

Klapy świetnie sprawdzą się jako okiennice. Mają one tę przewagę nad szklanymi szybami, że można je otwierać i zamykać.

Umieść na zewnętrznej ścianie pochodnię, dodaj ramkę i kamienny półblok, aby uzyskać efekt zawieszonej na ścianie średniowiecznej pochodni.

KSZTAŁTY I DETALE

Bardzo ważne jest odpowiednie opracowanie koncepcji budynku, tak by potem móc wszystko zrealizować, jak należy. Gdy już będziesz pewien, co chcesz zrobić, musisz opracować plan i położyć fundamenty.

KSZTAŁTY

Kształt, który wybierzesz dla swojego budynku, będzie miał wpływ na wszystko – od fundamentów po dach. Dla wielu budowniczych najważniejsza jest prostota, jednak bardziej skomplikowane kształty, które trudniej uzyskać, sprawią, że budowla będzie naprawdę imponująca. Na początek możesz czerpać natchnienie z tych prostych propozycji.

CZWOROBOKI

Najprostsze kształty to kwadraty i prostokąty. Wykorzystaj je jako zarys czworobocznych pomieszczeń o prostych ścianach. Idealnie nadają się one do zwykłych budynków.

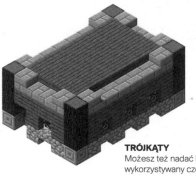

TRÓJKĄTY

Możesz też nadać budowli wykorzystywany często w planach dachów kształt trójkąta – o ile nie masz nic przeciwko pochyłym ścianom. Pamiętaj tylko, że takie budynki może być ciężko udekorować od wewnątrz, a także połączyć z innymi.

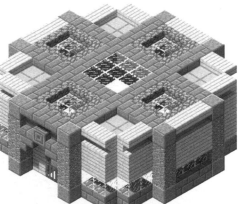

OKRĘGI

Kontrastujące z wszechobecnymi blokami Minecrafta koła to elementy często wykorzystywane w imponujących konstrukcjach. Cały sekret tkwi w uzyskaniu kolistego kształtu – poniżej znajdziesz wskazówki, jak go stworzyć.

| 5 x 5 | 7 x 7 | 9 x 9 | 11 x 11 | 11 x 11 |

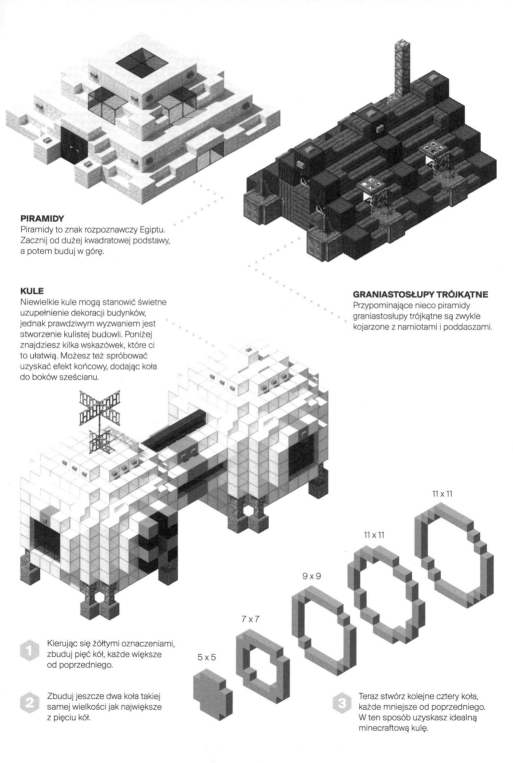

PIRAMIDY

Piramidy to znak rozpoznawczy Egiptu. Zacznij od dużej kwadratowej podstawy, a potem buduj w górę.

KULE

Niewielkie kule mogą stanowić świetne uzupełnienie dekoracji budynków, jednak prawdziwym wyzwaniem jest stworzenie kulistej budowli. Poniżej znajdziesz kilka wskazówek, które ci to ułatwią. Możesz też spróbować uzyskać efekt końcowy, dodając koła do boków sześcianu.

GRANIASTOSŁUPY TRÓJKĄTNE

Przypominające nieco piramidy graniastosłupy trójkątne są zwykle kojarzone z namiotami i poddaszami.

11 x 11

11 x 11

9 x 9

7 x 7

5 x 5

1 Kierując się żółtymi oznaczeniami, zbuduj pięć kół, każde większe od poprzedniego.

2 Zbuduj jeszcze dwa koła takiej samej wielkości jak największe z pięciu kół.

3 Teraz stwórz kolejne cztery koła, każde mniejsze od poprzedniego. W ten sposób uzyskasz idealną minecraftową kulę.

25

SZKIELET KONSTRUKCJI

Gdy już zdecydujesz, jaki kształt ma mieć twój budynek, możesz zabrać się do konstruowania. Buduj od ziemi w górę i kieruj się poniższymi wskazówkami, aby stworzyć zewnętrzny szkielet i dodać wewnątrz piętra. Dla zilustrowania tego procesu wybraliśmy zwykły prostokątny kształt.

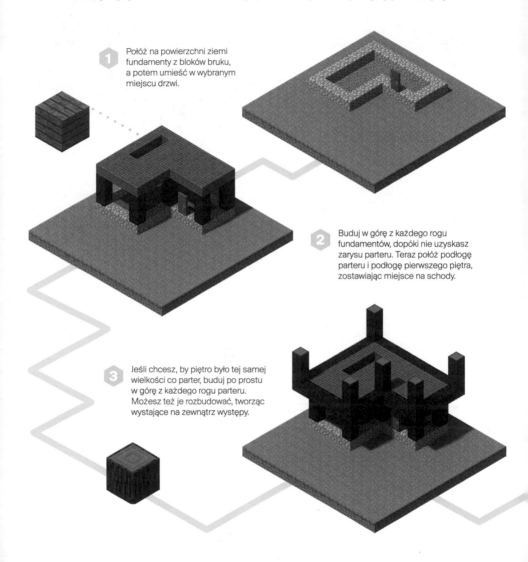

1 Połóż na powierzchni ziemi fundamenty z bloków bruku, a potem umieść w wybranym miejscu drzwi.

2 Buduj w górę z każdego rogu fundamentów, dopóki nie uzyskasz zarysu parteru. Teraz połóż podłogę parteru i podłogę pierwszego piętra, zostawiając miejsce na schody.

3 Jeśli chcesz, by piętro było tej samej wielkości co parter, buduj po prostu w górę z każdego rogu parteru. Możesz też je rozbudować, tworząc wystające na zewnątrz występy.

BLOKI UŻYTE W KONSTRUKCJI

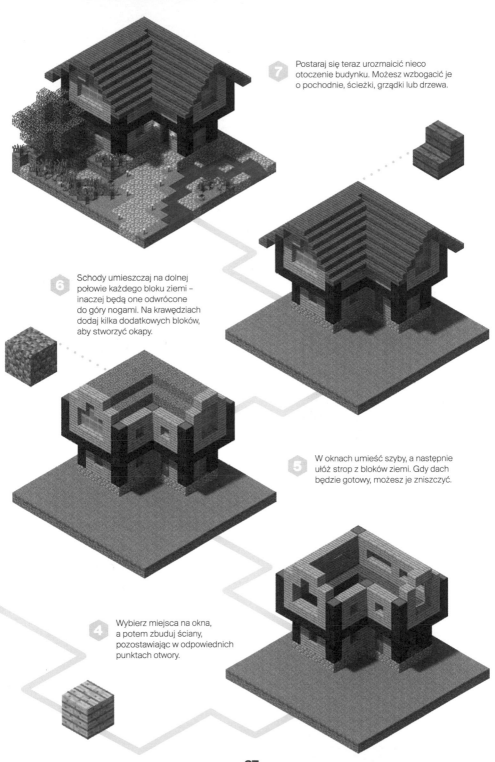

7 Postaraj się teraz urozmaicić nieco otoczenie budynku. Możesz wzbogacić je o pochodnie, ścieżki, grządki lub drzewa.

6 Schody umieszczaj na dolnej połowie każdego bloku ziemi – inaczej będą one odwrócone do góry nogami. Na krawędziach dodaj kilka dodatkowych bloków, aby stworzyć okapy.

5 W oknach umieść szyby, a następnie ułóż strop z bloków ziemi. Gdy dach będzie gotowy, możesz je zniszczyć.

4 Wybierz miejsca na okna, a potem zbuduj ściany, pozostawiając w odpowiednich punktach otwory.

ELEMENTY ARCHITEKTONICZNE

Gdy już postawisz szkielet konstrukcji, możesz dodać różne elementy ozdobne i funkcjonalne. Wzoruj się na prawdziwych budynkach, by wzbogacić swoje dzieło o detale wykończeniowe, a także elementy, które przydadzą mu charakteru.

ŁUK
Łuki to elementy ozdobne często wykorzystywane w odrzwiach i ramach okiennych. Mogą też pełnić funkcję podpór, tworząc przejścia pod częściami budynku.

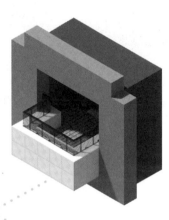

BALKON
Balkony to niewielkie otwarte nadwieszane elementy konstrukcji, na które prowadzą drzwi ze środka budynku. Bywają otoczone litymi ścianami lub balustradą.

OKNO WYKUSZOWE
Wykusz to rodzaj okna wysuniętego ze ściany, tworzącego w pokoju dodatkową przestrzeń z widokiem na zewnątrz.

CIEKAWOSTKI

W trybie kreatywnym praca ze szkłem nie powinna nastręczać problemów. Jeśli tworzysz w trybie przetrwania, skorzystaj z zaklęcia jedwabnego dotyku – będziesz mógł znacznie łatwiej skorygować błędy!

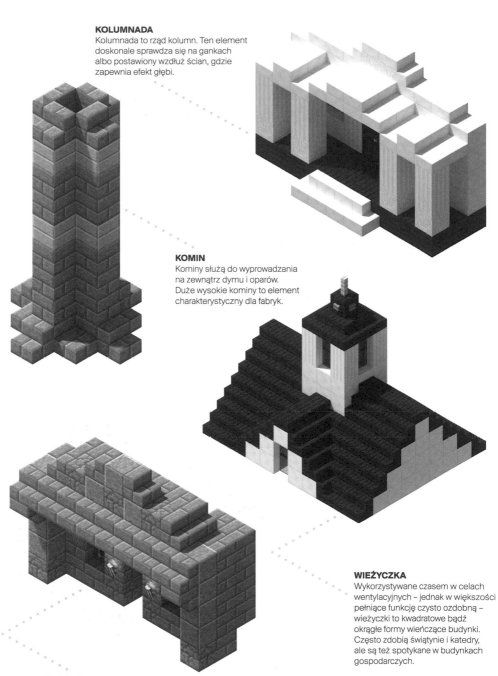

KOLUMNADA
Kolumnada to rząd kolumn. Ten element doskonale sprawdza się na gankach albo postawiony wzdłuż ścian, gdzie zapewnia efekt głębi.

KOMIN
Kominy służą do wyprowadzania na zewnątrz dymu i oparów. Duże wysokie kominy to element charakterystyczny dla fabryk.

WIEŻYCZKA
Wykorzystywane czasem w celach wentylacyjnych – jednak w większości pełniące funkcję czysto ozdobną – wieżyczki to kwadratowe bądź okrągłe formy wieńczące budynki. Często zdobią świątynie i katedry, ale są też spotykane w budynkach gospodarczych.

GZYMSY
Gzyms to element dekoracyjny wieńczący ścianę budynku. Aby go stworzyć, umieść u góry ściany schody.

ŁĘK PRZYPOROWY

Łęki przyporowe lub inaczej oporowe to rodzaj łuków wykorzystywanych w dużych budynkach. Wspierają one konstrukcję, przejmując część ciężaru ścian i dachów. Są przy okazji niezwykle dekoracyjne. Często można je dostrzec na zewnątrz katedr.

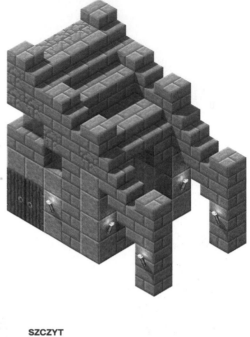

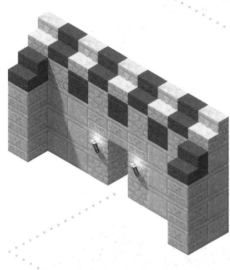

SZCZYT

Szczyt to inaczej trójkątna ściana szczytowa budynku, obramowana przez dwa okapy dachu. Jeśli umieścisz w nim okno, rozświetlisz całe poddasze.

FRYZ

Fryz to rząd ozdobnych bloków lub cegieł, przełamujący monotonię ściany. Fryzy często zdobią starożytne i klasyczne budowle.

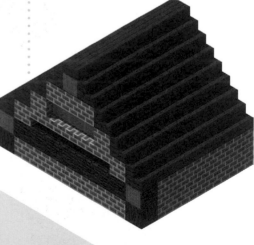

GANEK

Ganek to zadaszona dobudówka znajdująca się przed wejściem do budynku.

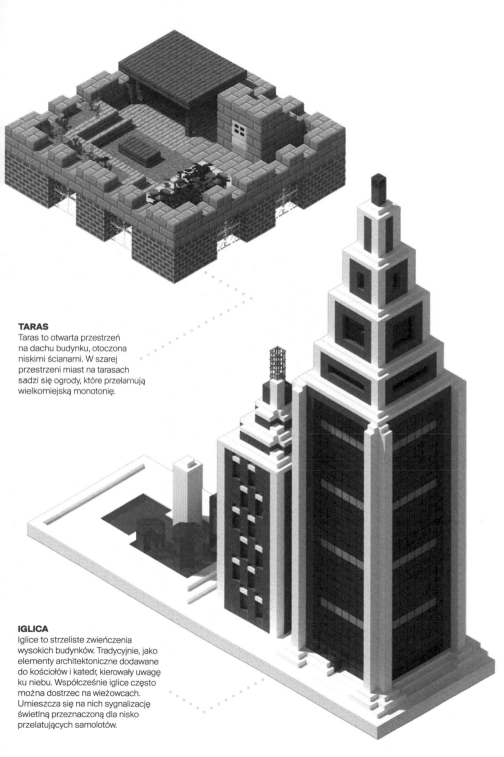

TARAS
Taras to otwarta przestrzeń na dachu budynku, otoczona niskimi ścianami. W szarej przestrzeni miast na tarasach sadzi się ogrody, które przełamują wielkomiejską monotonię.

IGLICA
Iglice to strzeliste zwieńczenia wysokich budynków. Tradycyjnie, jako elementy architektoniczne dodawane do kościołów i katedr, kierowały uwagę ku niebu. Współcześnie iglice często można dostrzec na wieżowcach. Umieszcza się na nich sygnalizację świetlną przeznaczoną dla nisko przelatujących samolotów.

ŁĄCZENIE BUDYNKÓW

Po stworzeniu podstaw budynku warto się zastanowić nad tym, jak będzie on współgrał z okolicznymi zabudowaniami. Szereg niepołączonych ze sobą budowli nie wygląda zbyt dobrze, bo pozostawia mnóstwo niewykorzystanej przestrzeni. Oto kilka sposobów na jej zagospodarowanie i połączenie budynków w efektowny sposób.

1. Rozważ stworzenie spójnej infrastruktury. Prosta ulica z chodnikami po obu stronach przyda okolicy miejskiego szyku.

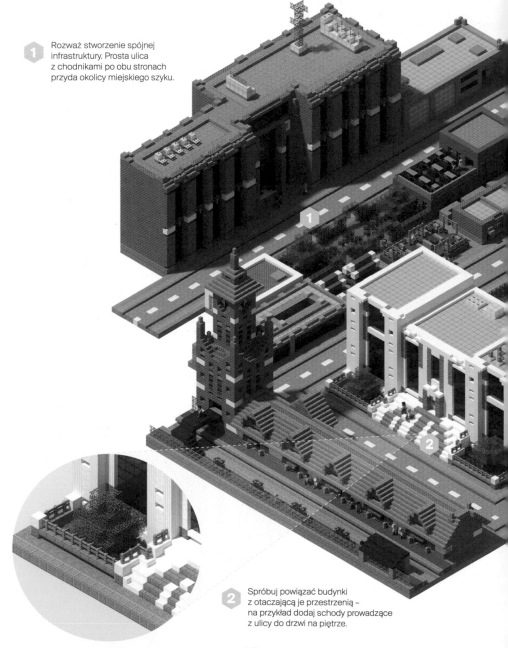

2. Spróbuj powiązać budynki z otaczającą je przestrzenią – na przykład dodaj schody prowadzące z ulicy do drzwi na piętrze.

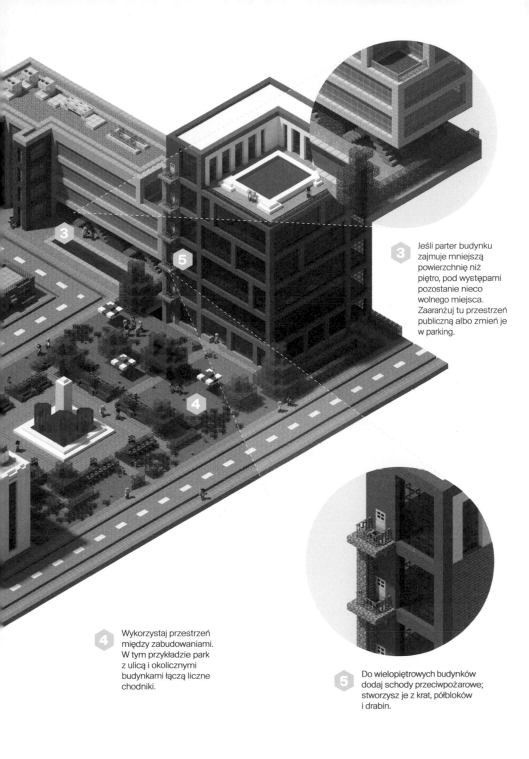

3 Jeśli parter budynku zajmuje mniejszą powierzchnię niż piętro, pod występami pozostanie nieco wolnego miejsca. Zaaranżuj tu przestrzeń publiczną albo zmień je w parking.

4 Wykorzystaj przestrzeń między zabudowaniami. W tym przykładzie park z ulicą i okolicznymi budynkami łączą liczne chodniki.

5 Do wielopiętrowych budynków dodaj schody przeciwpożarowe; stworzysz je z krat, półbloków i drabin.

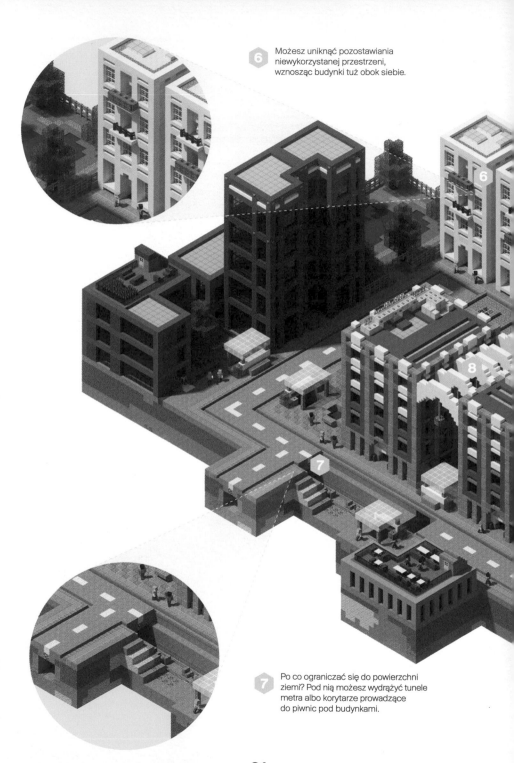

6 Możesz uniknąć pozostawiania niewykorzystanej przestrzeni, wznosząc budynki tuż obok siebie.

7 Po co ograniczać się do powierzchni ziemi? Pod nią możesz wydrążyć tunele metra albo korytarze prowadzące do piwnic pod budynkami.

8 Przestrzeń między budynkami możesz wypełnić, łącząc je ze sobą dekoracyjnymi łukami.

9 Możesz też zmienić łuk w szeroką kładkę, dodając po obu stronach schody.

10 Czasami nie da się uniknąć pozostawienia niewykorzystanej przestrzeni. Jeśli jednak wszystko dobrze zaplanujesz, nadasz jej pozory miejsca celowo niezabudowanego. Spróbuj wykreować ozdobny ogród lub dziedziniec.

2

DEKOROWANIE

Teraz, gdy już postawiłeś budynki, możesz nadać im
charakter, rozważnie dodając wybrane elementy ozdobne.
W tej części znajdziesz informacje na temat zdobienia podłóg
i ścian, ciekawe rozwiązania dekoratorskie oraz pomysły
na jak najlepsze wykorzystanie dostępnej przestrzeni.

ZDOBIENIA FUNKCJONALNE

W Minecrafcie jest mnóstwo bloków służących konkretnym celom.
Można je wykorzystać także do dekoracji. Przyjrzyj się tym uniwersalnym
blokom i przekonaj, jak można ich użyć w budownictwie.

OŚWIETLENIE

W Minecrafcie istnieje kilka różnych
źródeł światła. Głównie są to słońce
i księżyc. Światło emitują też liczne bloki,
a także aktywowane obwody czerwonego
kamienia. Możesz je również uzyskać
na kilka niecodziennych sposobów!

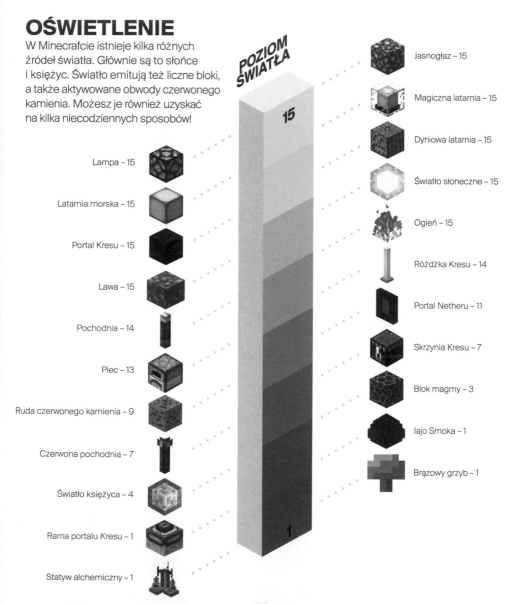

POZIOM ŚWIATŁA

15

1

- Jasnogłaz – 15
- Magiczna latarnia – 15
- Dyniowa latarnia – 15
- Światło słoneczne – 15
- Ogień – 15
- Różdżka Kresu – 14
- Portal Netheru – 11
- Skrzynia Kresu – 7
- Blok magmy – 3
- Jajo Smoka – 1
- Brązowy grzyb – 1

- Lampa – 15
- Latarnia morska – 15
- Portal Kresu – 15
- Lawa – 15
- Pochodnia – 14
- Piec – 13
- Ruda czerwonego kamienia – 9
- Czerwona pochodnia – 7
- Światło księżyca – 4
- Rama portalu Kresu – 1
- Statyw alchemiczny – 1

ŹRÓDŁA ŚWIATŁA I ICH CHARAKTER

Wiesz już, za pomocą jakich bloków można zapewnić sobie światło. Czas, byś poznał sposoby wykorzystania jego źródeł do rozjaśnienia wnętrza budynków i nadania im niepowtarzalnego charakteru.

OKNA WITRAŻOWE
Wykorzystaj naturalne źródła światła, tworząc witraże. Więcej informacji na ten temat znajdziesz na str. 42–43.

ŻYRANDOL
Żyrandol zbudujesz, zawieszając różdżki Kresu pod konstrukcją z płotu.

KOMINEK
Stwórz kominek, łącząc netherrack z brukiem i kratami.

POCHODNIE
Umieść pochodnie i półbloki w ramach, aby uzyskać niecodzienne oświetlenie.

LATARNIA
Latarnię zbudujesz z netherracku, ceglanych schodów i płotów.

OSADZONE ŹRÓDŁA ŚWIATŁA
Stonowane oświetlenie uzyskasz, osadzając emitujące światło bloki w ścianach lub podłodze.

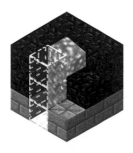

LAMPA LAWOWA
Wykorzystaj lawę do oświetlenia wnętrz, wlewając ją do przeszklonych otworów w ścianach.

LATARENKA
Płonący netherrack osadzony w klapach może służyć jako latarnia.

KOLOROWA LAMPA
Połącz witraż z jasnogłazem, aby stworzyć intrygujące źródło barwnego światła.

BLOKI UŻYTKOWE

W Minecrafcie pełno jest bloków użytkowych – pełnią one różne funkcje. Wiele z nich idealnie nadaje się do meblowania rozmaitych budynków. Poniższe przykłady ilustrują, jak można je wykorzystać do dekoracji.

WIEJSKI WARSZTAT

Prosty piec i surowe w kształcie kowadło świetnie łączą się z drewnianą teksturą stołu rzemieślniczego i skrzyni, a także ścianami z drewna i kamienia.

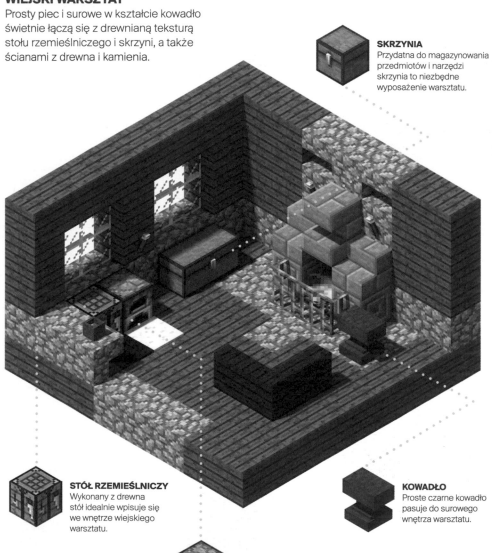

SKRZYNIA
Przydatna do magazynowania przedmiotów i narzędzi skrzynia to niezbędne wyposażenie warsztatu.

STÓŁ RZEMIEŚLNICZY
Wykonany z drewna stół idealnie wpisuje się we wnętrze wiejskiego warsztatu.

KOWADŁO
Proste czarne kowadło pasuje do surowego wnętrza warsztatu.

PIEC
Surowa kamienna powierzchnia pieca to doskonałe dopełnienie prostego wystroju pomieszczenia.

TAJNA KRYJÓWKA

W tajnych kryjówkach i podziemnych bazach biblioteki skrzynie Kresu i stoły do zaklęć budują atmosferę tajemniczości.

BIBLIOTECZKI
Wypełnione magicznymi tomami spisanymi w zapomnianych językach biblioteczki roztaczają niesamowitą aurę.

KOCIOŁ
Spotykane często w chatkach wiedźm kotły idealnie nadają się do tajnej kryjówki.

SKRZYNIA KRESU
Służące do magazynowania przedmiotów w niezwykłym wymiarze Kresu skrzynie świetnie sprawdzą się w podziemnej bazie.

STATYW ALCHEMICZNY
Statyw alchemiczny to doskonałe dopełnienie magicznego pokoju, jako że dzięki niemu można warzyć magiczne mikstury.

NOWOCZESNY POKÓJ

W bardziej współczesnych wnętrzach sprawdzają się nowoczesne bloki, takie jak szafa grająca, stojak na zbroję i łóżko.

SZAFA GRAJĄCA
To zabawne minecraftowe urządzenie doskonale wpisuje się w nowoczesne wnętrze.

SHULKEROWA SKRZYNIA
Shulkerowe skrzynie można dowolnie barwić; żywe kolory będą świetnie pasowały do nowoczesnych pomieszczeń.

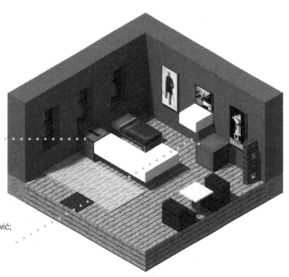

ELEMENTY DEKORACJI

Oprócz wyposażenia wnętrz w przydatne bloki możesz też dodawać elementy, które posłużą wyłącznie do ozdoby. Ta część zawiera porady dotyczące elementów dekoracyjnych, które możesz łączyć, aby twoje budowle były naprawdę wyjątkowe.

OKNA

Okna bardzo wzbogacają wnętrza. Oto kilka prostych sposobów na stworzenie unikatowych okien z różnych szklanych bloków.

KSZTAŁT

Okna nie muszą być prostokątne – szyby możesz wstawiać w otwory o różnych kształtach. Jeśli potrzebujesz przypomnienia, zajrzyj na str. 24, do przewodnika po kształtach.

OZDOBNE OKNA

Z szyb można tworzyć niezwykłe misterne wzory albo skomplikowane ornamenty, przypominające witraże w zamkach, świątyniach i fantastycznych budowlach.

BLOKI KONTRA TAFLE

Masz do wyboru bloki lub tafle szkła. Te pierwsze wypełnią całą przestrzeń między blokami, podczas gdy cienkie szyby osadzane są pośrodku ścianek bloków.

BUDOWLE ZE SZKŁA
Aby uzyskać ciekawy nowoczesny efekt, możesz wznieść swój budynek częściowo ze szkła. Dzięki temu wewnątrz będzie jaśniej i przestronniej.

WITRAŻE
Z barwionego szkła stworzysz witrażowe obrazy. Przy odrobinie wyobraźni wyczarujesz z niego wszystko – od prostych kwiatów po skomplikowane scenki rodzajowe.

BARWIONE SZKŁO
Aby urozmaicić jednobarwne ściany albo wzbogacić wnętrze o kolorowe akcenty, możesz wykorzystać barwione szyby.

43

ŚCIANY I PODŁOGI

Istnieje wiele sposobów na urozmaicenie ścian i podłóg budynków poprzez wzbogacenie ich o artystyczne akcenty. Przyjrzyj się niektórym blokom i zobacz, jak najlepiej wykorzystać je w różnych pomieszczeniach.

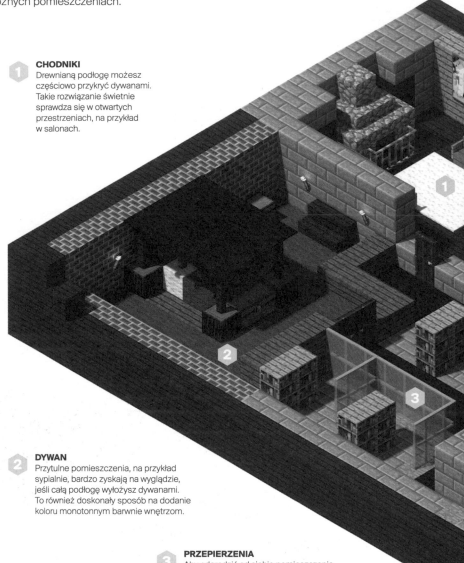

CHODNIKI
Drewnianą podłogę możesz częściowo przykryć dywanami. Takie rozwiązanie świetnie sprawdza się w otwartych przestrzeniach, na przykład w salonach.

DYWAN
Przytulne pomieszczenia, na przykład sypialnie, bardzo zyskają na wyglądzie, jeśli całą podłogę wyłożysz dywanami. To również doskonały sposób na dodanie koloru monotonnym barwnie wnętrzom.

PRZEPIERZENIA
Aby odgrodzić od siebie pomieszczenia, nie zamykając ich litymi blokami, możesz wykorzystać szyby, płoty lub kraty. Dzięki temu uzyskasz efekt przestronności.

SZACHOWNICA
Klasyczny wzór szachownicy sprawdza się wszędzie, jednak szczególnie dobrze pasuje do kuchni i korytarzy.

RADA

Zbuduj ściany z dwóch warstw bloków – jedna z nich będzie służyć jako elewacja, a drugiej, wewnętrznej, nadasz wybrany przez siebie charakter.

OZDOBNA ŚCIANA
Styl wnętrza będzie podyktowany materiałem, z którego wzniesiesz budowlę – często będzie to cegła lub kamień. Jeśli od środka dodasz nową warstwę bloków, uzyskasz niepowtarzalny efekt.

MOZAIKA
Korytarze, przedpokoje i eleganckie wnętrza wzbogacisz mozaikami z utwardzonej gliny.

OBRAZY I RAMKI NA PRZEDMIOTY

Niektóre bloki funkcjonalne mają charakter ozdób. Obrazy są barwnymi akcentami wzbogacającymi wnętrza – najmniejsze są wielkości jednego bloku, największe mają powierzchnię o wymiarach 4 x 4 bloki. Dzięki ramkom możesz eksponować na ścianach niezwykłe przedmioty.

OBRAZY

Istnieje 26 rodzajów obrazów. Najmniejsze mają wymiary bloku, a największe – 4 x 4 bloki. Umieszczaj je i niszcz, dopóki nie uzyskasz tego, który ci odpowiada.

RADA

Za pomocą obrazów możesz maskować wejścia do tajnych pomieszczeń – jeśli umieścisz je na przerwie o wymiarach 1 x 2 bloki.

RAMKI NA PRZEDMIOTY

Ramki można umieszczać na postumentach albo ścianach, aby eksponować w nich wszystko – od ulubionej zbroi, poprzez broń, aż po mapy i jaja spawnujące. To rozwiązanie idealnie sprawdza się w galeriach czy muzeach.

ZAWIESZANIE OBRAZÓW

Obrazy pojawiają się losowo i w zależności od dostępnej powierzchni. Nie dowiesz się, jaki obraz się wygeneruje, dopóki nie umieścisz go na pionowej powierzchni. Wówczas pojawi się na niej losowo dobrane malowidło.

RADA

Umieszczone w ramce przedmioty można obracać. Spróbuj odwrócić we właściwą stronę strzałę – posłuży za stylowy drogowskaz.

SZTANDARY

Sztandary to bloki, które można dowolnie personalizować. Za pomocą barwników i kilku innych elementów możesz modyfikować je, aby posłużyły za tapety, znaki i dekoracje dla wielu rodzajów budowli. Poniżej znajdziesz podstawowe wzory. Sam wybierz barwniki, które najbardziej ci odpowiadają.

POŁÓWKI

Bloki w śmiałych barwach to dobra podstawa asymetrycznego sztandaru.

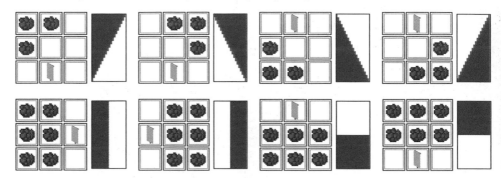

PASY

Barwne pasy będą się świetnie komponowały z dominującym kolorem.

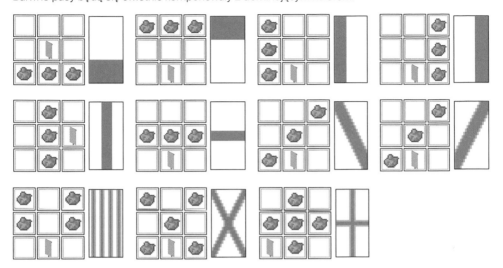

OBRAMÓWKI I TŁA

Prosty wzór może stanowić ramę dla twojego dzieła albo tworzyć pełne szczegółów tło.

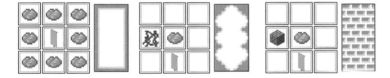

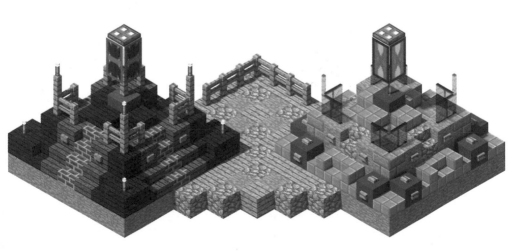

GRADIENTY

Stopniowe zmiany barwy dają świetny efekt na sztandarze.

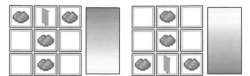

KSZTAŁTY

Twórz drobne kształty i umieszczaj je na gładkim tle.

SYMBOLE

Na wierzchniej warstwie sztandaru ciekawie wyglądają obrazki.

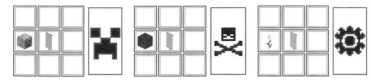

WARSTWY

Sztandar możesz stworzyć nawet z 6 warstw. Dzięki temu uzyskasz różne ciekawe wzory. Jeżeli się pomylisz, możesz użyć kotła, aby zmyć wierzchnią warstwę.

EKSPONOWANIE

Sztandary świetnie nadadzą się do ozdabiania wnętrz. Możesz też projektować je specjalnie do urozmalcenia murów budowli. Umieść je na litych lub niepełnych blokach, aby udekorować nimi ściany zewnętrzne.

MEBLOWE SZTUCZKI

Wnętrze twojego budynku wygląda już ciekawie, jednak wciąż jest tu pustawo? Możesz wykorzystać różne bloki w niecodzienny sposób, aby stworzyć z nich meble. Przyjrzyj się kilku najciekawszym trikom i przekonaj się, co można zrobić z bloków.

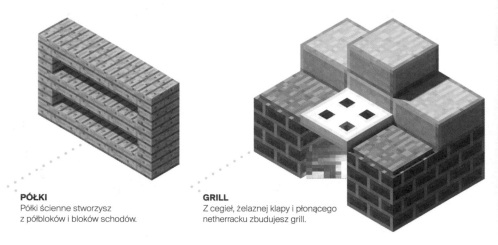

PÓŁKI
Półki ścienne stworzysz
z półbloków i bloków schodów.

GRILL
Z cegieł, żelaznej klapy i płonącego
netherracku zbudujesz grill.

LUSTRO
Nad umywalkami uzyskasz
efekt luster, umieszczając
w ścianach zbity lód.

UMYWALKA
O higienę w swoim budynku
zadbasz, robiąc umywalki z lejów,
bloków kwarcu i dźwigni.

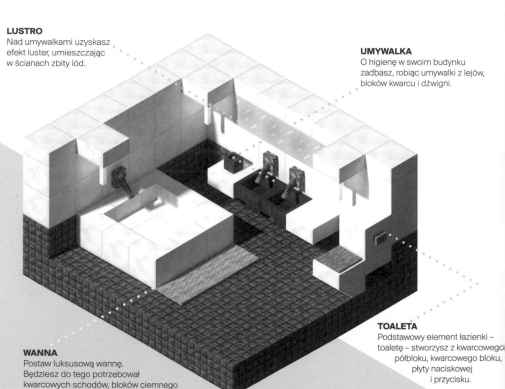

WANNA
Postaw luksusową wannę.
Będziesz do tego potrzebował
kwarcowych schodów, bloków ciemnego
pryzmarynu i dźwigni, z których zrobisz kurki.

TOALETA
Podstawowy element łazienki –
toaletę – stworzysz z kwarcowego
półbloku, kwarcowego bloku,
płyty naciskowej
i przycisku.

KOMPUTER
Aby zbudować komputer, umieść z tyłu bloku schodów obraz, a przed nim połóż płytę naciskową.

FORTEPIAN
Ten instrument muzyczny wykonasz z drewnianych półbloków, płotów i torów.

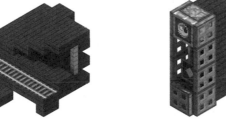

STAROŚWIECKI ZEGAR
Ten czasomierz wykonasz z klap i zegara umieszczonego w ramce na przedmiot.

FOTEL
W salonie potrzebujesz wielu siedzisk. Takie stylowe fotele stworzysz ze schodów i tablic.

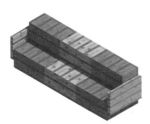

KANAPA
Zbuduj z bloków schodów kanapy. Dodaj podłokietniki z tablic.

KOMINEK
Gdy jest zimno, uczynisz swoje wnętrze przytulnym, dodając kominek. Podpal netherrack umieszczony w brukowym palenisku.

KONSOLETA DJ-A
Aby stworzyć miejsce pracy dla DJ-a, wykorzystaj płyty naciskowe, bloki dźwiękowe i aktywowaną dźwignią lampę z czerwonego kamienia.

STOLIK
Jeśli marzy ci się podręczny stolik, umieść czerwoną pochodnię pod zwróconym do góry tłokiem.

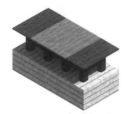

STÓŁ
Na pochodniach lub płotach umieść dywan – w ten sposób uzyskasz dłuższy stół, przy którym zmieści się więcej gości.

STÓŁ PINGPONGOWY
Zbuduj własny stół do ping-ponga z dywanu, szyb, wełny i płotów.

TELEWIZOR
Zakryj bloki czarnej wełny o wymiarach 4 x 2 obrazem, a uzyskasz telewizor. Dodaj po obu stronach szafy grające imitujące głośniki.

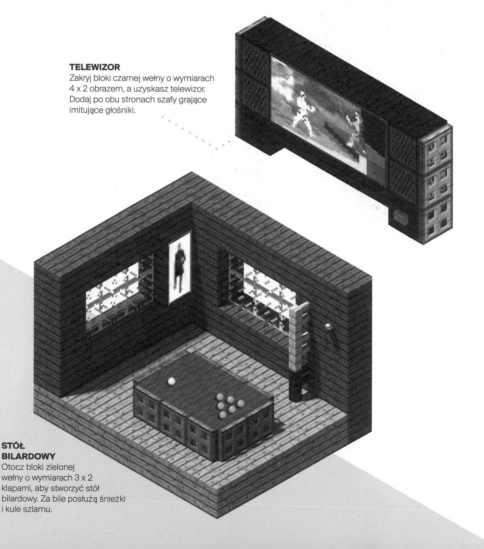

STÓŁ BILARDOWY
Otocz bloki zielonej wełny o wymiarach 3 x 2 klapami, aby stworzyć stół bilardowy. Za bile posłużą śnieżki i kule szlamu.

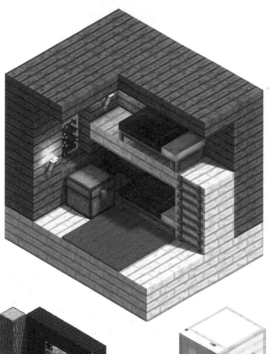

PRYCZE
Umieść łóżka na półblokach wystających ze ściany – stworzysz w ten sposób prycze, idealne w koszarach i noclegowniach.

SKRZYNKI NA KWIATY
Skrzynki na kwiaty uzyskasz, umieszczając na ścianie bloki ziemi, klapy i kwiaty.

LODÓWKA
Lodówkę do przechowywania żywności stworzysz z bloku żelaza, żelaznych drzwi, dozownika i przycisku.

KUCHENKA
Czymże byłaby kuchnia bez kuchenki? Aby ją zbudować, umieść klapę na piecu.

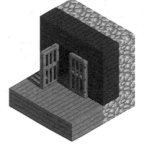

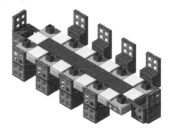

ŁOŻE Z BALDACHIMEM
Jeśli zwykłe łóżko ci nie wystarcza, stwórz łoże z baldachimem i kolumnami. Będziesz potrzebował bloków drewna, płotów i klap.

GARDEROBA
Wykorzystaj małą niszę, aby umieścić w niej garderobę – dodaj do niej stojaki na zbroję i drewniane drzwi.

STÓŁ JADALNY
Złote ważone płyty naciskowe, czerwony dywan i doniczki pozwolą ci stworzyć piękny stół jadalny.

OTOCZENIE

Poświęć nieco uwagi okolicy, tak aby także teren rozciągający się wokół budowli był interesujący. Na kilku kolejnych stronach znajdziesz pomysły, które zagwarantują, że twoje konstrukcje idealnie wpiszą się w otoczenie.

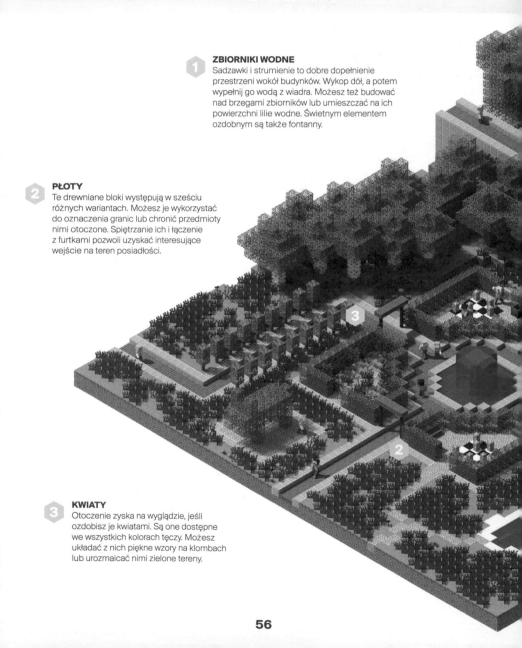

ZBIORNIKI WODNE
Sadzawki i strumienie to dobre dopełnienie przestrzeni wokół budynków. Wykop dół, a potem wypełnij go wodą z wiadra. Możesz też budować nad brzegami zbiorników lub umieszczać na ich powierzchni lilie wodne. Świetnym elementem ozdobnym są także fontanny.

PŁOTY
Te drewniane bloki występują w sześciu różnych wariantach. Możesz je wykorzystać do oznaczenia granic lub chronić przedmioty nimi otoczone. Spiętrzanie ich i łączenie z furtkami pozwoli uzyskać interesujące wejście na teren posiadłości.

KWIATY
Otoczenie zyska na wyglądzie, jeśli ozdobisz je kwiatami. Są one dostępne we wszystkich kolorach tęczy. Możesz układać z nich piękne wzory na klombach lub urozmaicać nimi zielone tereny.

DRZEWA

W grze trafisz na sadzonki różnych drzew. Możesz wybrać swoje ulubione i posadzić je w pobliżu budynku, aby stworzyć zieloną granicę posiadłości albo własny las.

SADZENIE DRZEWA

Każdy rodzaj drzewa wymaga innej ilości wolnej przestrzeni nad miejscem, w którym je posadzisz. Zapoznaj się z poniższym wykresem, aby dowiedzieć się, ile bloków w górę urośnie twoje ulubione drzewo.

Ciemne dęby, wielkie świerki i wielkie drzewa tropikalne musisz sadzić po 4 sadzonki na obszarze 2 x 2 bloki.

Dąb

Brzoza

Drzewo tropikalne

Świerk

Akacja

Ciemny dąb

Wielkie drzewo tropikalne

Wielki świerk

ŻYWOPŁOTY

Do wyznaczania granic i stawiania ogrodzenia zamiast płotów możesz użyć liści. Dają one większe pole do popisu w procesie tworzenia kształtów.

ZAPROJEKTUJ WŁASNE DRZEWO

Nim z sadzonki wyrośnie duży dąb, może upłynąć sporo czasu. Możesz przyspieszyć ten proces i zaprojektować własne drzewo. Świetnie sprawdzą się tu różne połączenia liści i drewna, jednak ciekawe efekty uzyskasz, eksperymentując z innymi, niecodziennymi blokami.

STRASZNE DRZEWO
Stwórz przerażające, nagie drzewo z bloków drewna i ozdób je dyniowymi latarniami. Im bardziej pokrzywione będą pień i konary, tym lepiej!

OKRĄGŁE DRZEWO
Wykorzystaj biegłość w tworzeniu kulistych obiektów i zbuduj piękne okrągłe drzewo, które ozdobi stylowy ogród.

SŁODKIE DRZEWO
Jeśli budujesz w stylu fantasy, zamiast drewna i liści możesz użyć barwnych bloków. Takie słodkie drzewo o koronie z cukrowej waty idealnie wpisze się w krajobraz krainy słodyczy.

DRZEWKO BONSAI
Masz ochotę na coś bardziej ozdobnego? Stwórz piękne drzewko bonsai wielkości zwykłego drzewa, ostrożnie formując gałęzie i listowie.

ELEMENTY DOPEŁNIAJĄCE

Teraz, gdy już wzbogaciłeś otoczenie o detale,
możesz spersonalizować przestrzeń, aby nadać
jej indywidualny rys.

MOSTY

Most to najprostszy sposób
na pokonanie rzeki, jeziora
czy strumienia. Można go
wykonać z różnych materiałów –
od prostych drewnianych kładek
aż po misternie rzeźbione
konstrukcje.

MIEJSCA SPOTKAŃ

Ludzie lubią spotykać się w specjalnie
do tego przeznaczonych miejscach.
Przestrzeń publiczną możesz
zagospodarować, dodając do niej
podesty i specjalne tarasy.

ŁUKI

Proste elementy można wzbogacić,
dodając do nich dekoracyjne łuki.
Mogą one służyć jako przejścia
wiodące do różnych miejsc albo
po prostu będą przełamywać
monotonię krajobrazu.

PRZESTRZEŃ PUBLICZNA

Otwarta przestrzeń to świetne miejsce
spotkań i wspólnego spędzania
wolnego czasu. Niezależnie od tego,
czy jest to park, czy są to ogrody,
przestrzeń publiczną można urozmaicić,
dodając kilka ciekawych elementów.

LABIRYNTY

Żywopłoty to doskonały
sposób na przekształcenie otwartej
przestrzeni w skomplikowany labirynt.
Stwórz najpierw drogę prowadzącą
do środka labiryntu, a potem dodaj
liczne alejki i ślepe zaułki.

3

BUDOWLE

Teraz, gdy już wiesz, jak planować budynki i dekorować je, spróbuj wykorzystać nowo nabyte umiejętności w konkretnych konstrukcjach. Zapoznaj się z budowlami w różnych stylach, o rozmaitej tematyce, funkcjach i lokalizacjach. To przykłady, na których możesz się wzorować i z których możesz czerpać inspiracje.

WYSUNIĘTA PLACÓWKA

W tej położonej na odludziu placówce strażniczej wykorzystano połączenie drewna, diorytu i bruku. Półbloki i schody nadają głębię ścianom zewnętrznym, wnętrze zaś jest podzielone na piętro i parter.

RADA

Z bloków wełny stwórz powiewającą na wietrze flagę. Aby uzyskać efekt łopotania, przesuń bloki względem siebie.

STYL RUSTYKALNY

BARWY DOPEŁNIAJĄCE

PLANY

Te plany przedstawiają wysuniętą placówkę w różnych ujęciach. Podstawa wystającej ponad dach wieży łączy się z głównym budynkiem na poziomie parteru. Nie ma w niej jednak piętra, tylko schody prowadzące na szczyt.

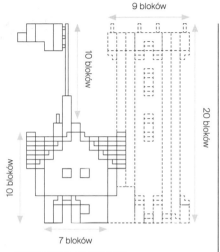

WIDOK Z PRZODU

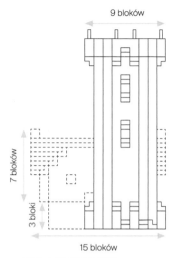

WIDOK Z BOKU

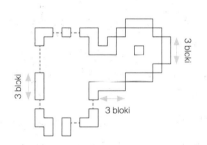

PARTER

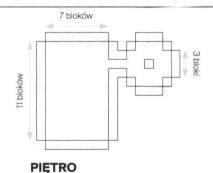

PIĘTRO

EKSTREMALNE WZGÓRZA

IDEALNA LOKALIZACJA

Wysunięta placówka to świetny wybór, jeśli potrzebujesz dobrego punktu widokowego w niepozornym miejscu. Najlepiej jest wznieść ją na górskim szczycie, pośród wysokich drzew. Przed położeniem fundamentów oczyść w biomie ekstremalnych wzgórz kawałek płaskiej powierzchni.

WYGLĄD WYSUNIĘTEJ PLACÓWKI

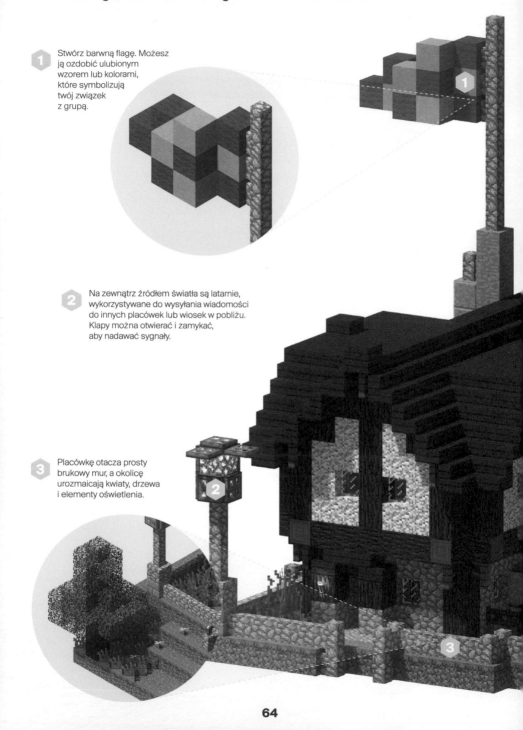

1 Stwórz barwną flagę. Możesz ją ozdobić ulubionym wzorem lub kolorami, które symbolizują twój związek z grupą.

2 Na zewnątrz źródłem światła są latarnie, wykorzystywane do wysyłania wiadomości do innych placówek lub wiosek w pobliżu. Klapy można otwierać i zamykać, aby nadawać sygnały.

3 Placówkę otacza prosty brukowy mur, a okolicę urozmaicają kwiaty, drzewa i elementy oświetlenia.

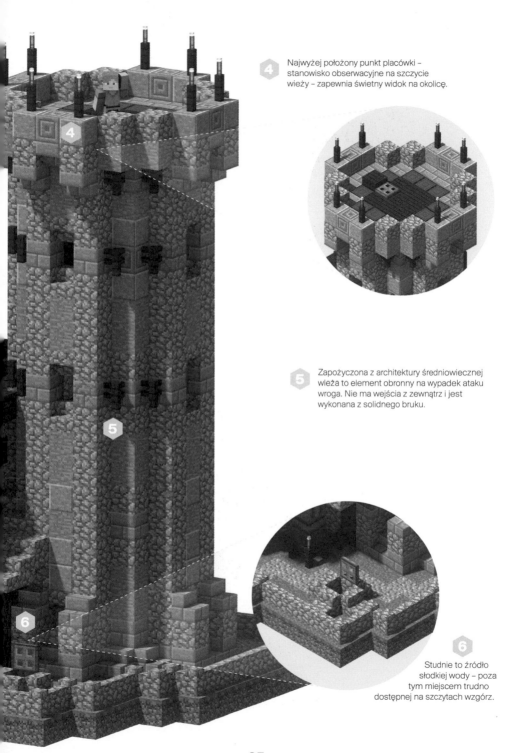

Najwyżej położony punkt placówki – stanowisko obserwacyjne na szczycie wieży – zapewnia świetny widok na okolicę.

Zapożyczona z architektury średniowiecznej wleża to element obronny na wypadek ataku wroga. Nie ma wejścia z zewnątrz i jest wykonana z solidnego bruku.

Studnie to źródło słodkiej wody – poza tym miejscem trudno dostępnej na szczytach wzgórz.

WNĘTRZE WYSUNIĘTEJ PLACÓWKI

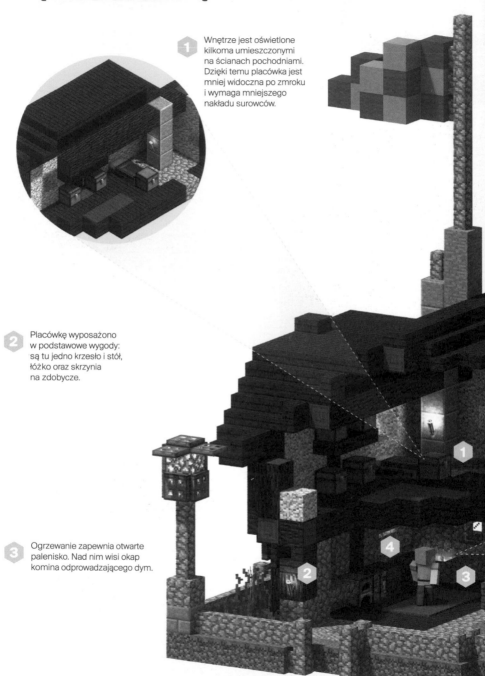

1 Wnętrze jest oświetlone kilkoma umieszczonymi na ścianach pochodniami. Dzięki temu placówka jest mniej widoczna po zmroku i wymaga mniejszego nakładu surowców.

2 Placówkę wyposażono w podstawowe wygody: są tu jedno krzesło i stół, łóżko oraz skrzynia na zdobycze.

3 Ogrzewanie zapewnia otwarte palenisko. Nad nim wisi okap komina odprowadzającego dym.

Wewnątrz wieży znajdują się spiralne schody i drabina prowadząca do klapy, oddzielającej wnętrze od wyjścia na dach.

W placówce mieści się wiele warsztatów, które można wykorzystać do wytwarzania przydatnych narzędzi, żywności i broni, niezbędnych do przetrwania na odludziu.

SYSTEM OŚWIETLENIA

Do wyeksponowania swoich budowli będziesz potrzebował systemu oświetlenia. Światło można włączać ręcznie, przełącznikiem lub automatycznie. Na tym przykładzie zobaczysz, jak stworzyć system oświetlenia w prostym dwupokojowym domu.

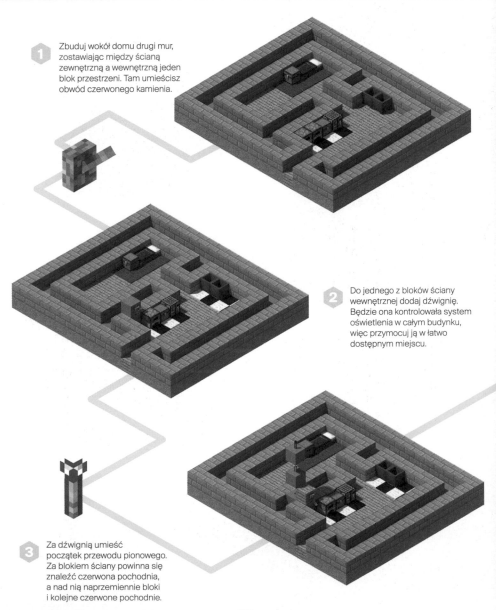

1 Zbuduj wokół domu drugi mur, zostawiając między ścianą zewnętrzną a wewnętrzną jeden blok przestrzeni. Tam umieścisz obwód czerwonego kamienia.

2 Do jednego z bloków ściany wewnętrznej dodaj dźwignię. Będzie ona kontrolowała system oświetlenia w całym budynku, więc przymocuj ją w łatwo dostępnym miejscu.

3 Za dźwignią umieść początek przewodu pionowego. Za blokiem ściany powinna się znaleźć czerwona pochodnia, a nad nią naprzemiennie bloki i kolejne czerwone pochodnie.

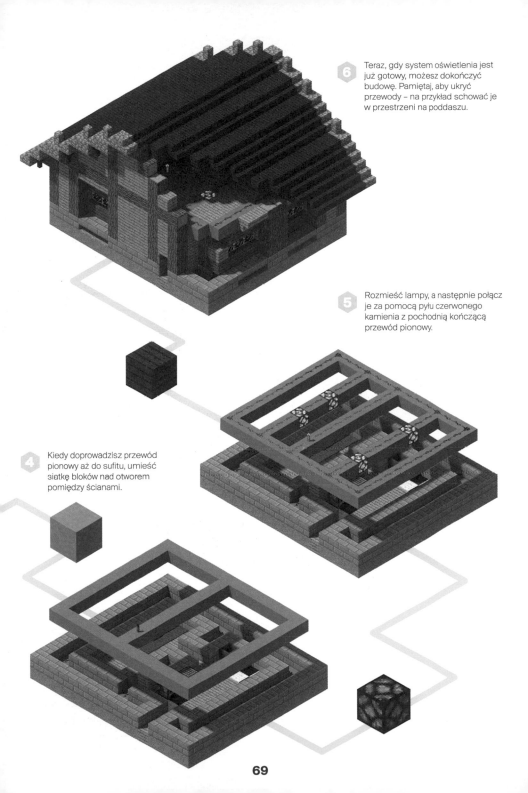

Teraz, gdy system oświetlenia jest już gotowy, możesz dokończyć budowę. Pamiętaj, aby ukryć przewody – na przykład schować je w przestrzeni na poddaszu.

Rozmieść lampy, a następnie połącz je za pomocą pyłu czerwonego kamienia z pochodnią kończącą przewód pionowy.

Kiedy doprowadzisz przewód pionowy aż do sufitu, umieść siatkę bloków nad otworem pomiędzy ścianami.

WARIANTY SYSTEMU OŚWIETLENIA

W większych budynkach lepszym rozwiązaniem może być utworzenie paru niezależnych od siebie obwodów, tak by każde pomieszczenie miało własne oświetlenie. Przyjrzyj się kilku propozycjom oświetlenia wnętrza oraz otoczenia budynku.

OŚWIETLENIE PODŁOGOWE
Oświetlenie podłogowe to alternatywa dla oświetlenia ściennego czy sufitowego; świetnie się sprawdza w kuchniach i łazienkach. Zasila je czerwony kamień ukryty pod blokami podłogi.

OŚWIETLENIE ALARMOWE
Na zewnątrz system oświetlenia może być połączony z linką z zaczepem lub z płytami naciskowymi. Układ zostanie włączony, kiedy mob albo wrogi gracz wkroczy na twój teren, uruchamiając oświetlenie alarmowe.

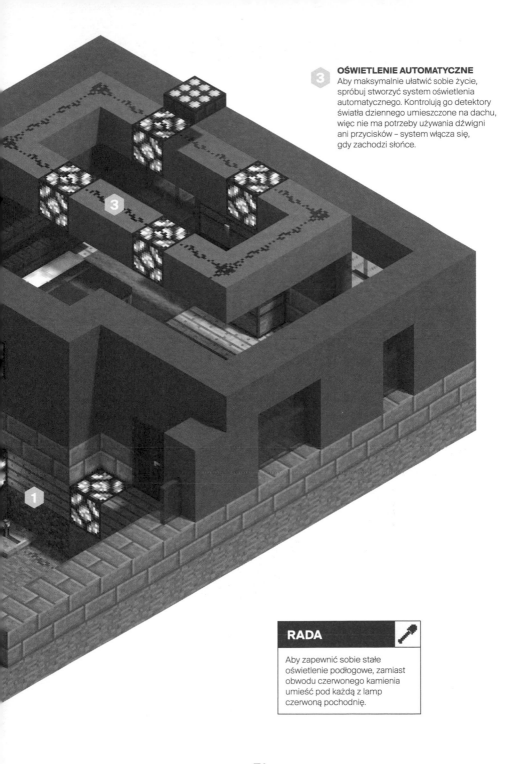

OŚWIETLENIE AUTOMATYCZNE

Aby maksymalnie ułatwić sobie życie, spróbuj stworzyć system oświetlenia automatycznego. Kontrolują go detektory światła dziennego umieszczone na dachu, więc nie ma potrzeby używania dźwigni ani przycisków – system włącza się, gdy zachodzi słońce.

RADA

Aby zapewnić sobie stałe oświetlenie podłogowe, zamiast obwodu czerwonego kamienia umieść pod każdą z lamp czerwoną pochodnię.

EGZOTYCZNA WILLA

Ta typowa dla architektury śródziemnomorskiej stylowa willa o stonowanej kolorystycznie elewacji łączy w sobie cechy budowli klasycznych i luksusowej rezydencji. Z całością kontrastuje ekstrawaganckie otoczenie.

STYL KLASYCZNY

SKALA SZAROŚCI, BARWY ANALOGICZNE

PLANY

Prosta bryła willi została wzbogacona o elementy, które dodają jej głębi i czynią ją ciekawszą – od kolumnad, poprzez łuki, aż po gzymsy i szczyty. Wnętrze zostało uzupełnione o półpiętro zwane *mezzanino*, znajdujące się między parterem a pierwszym piętrem.

WIDOK Z PRZODU

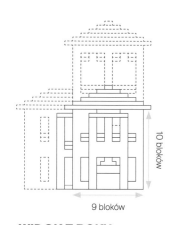

WIDOK Z BOKU

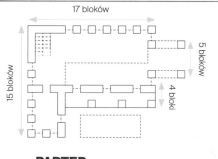

PARTER

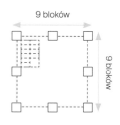

PIĘTRO

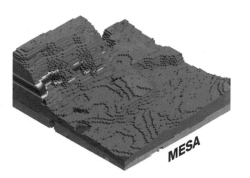

MESA

IDEALNA LOKALIZACJA

W rejonie śródziemnomorskim temperatury są zazwyczaj bardzo wysokie, więc spalony czerwony piasek i utwardzona glina biomu mesy stanowią idealną oprawę willi.

Będzie ona wyglądać równie dobrze na jednym z wielu szczytów mesy, jak i na rozległym, otwartym płaskowyżu.

WYGLĄD EGZOTYCZNEJ WILLI

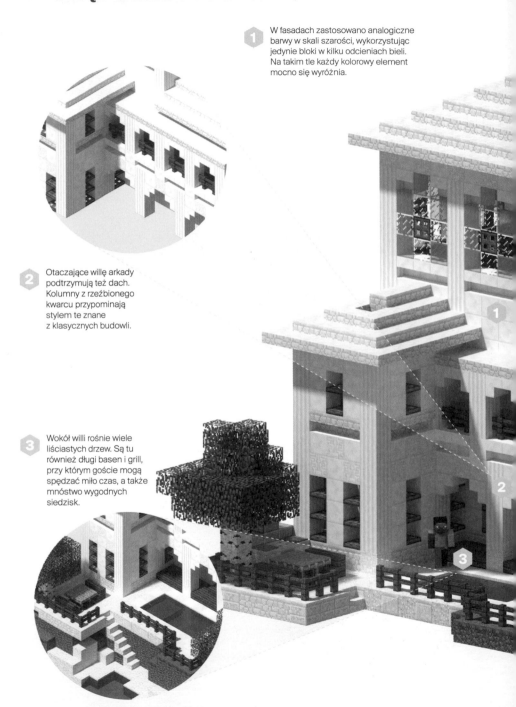

1 W fasadach zastosowano analogiczne barwy w skali szarości, wykorzystując jedynie bloki w kilku odcieniach bieli. Na takim tle każdy kolorowy element mocno się wyróżnia.

2 Otaczające willę arkady podtrzymują też dach. Kolumny z rzeźbionego kwarcu przypominają stylem te znane z klasycznych budowli.

3 Wokół willi rośnie wiele liściastych drzew. Są tu również długi basen i grill, przy którym goście mogą spędzać miło czas, a także mnóstwo wygodnych siedzisk.

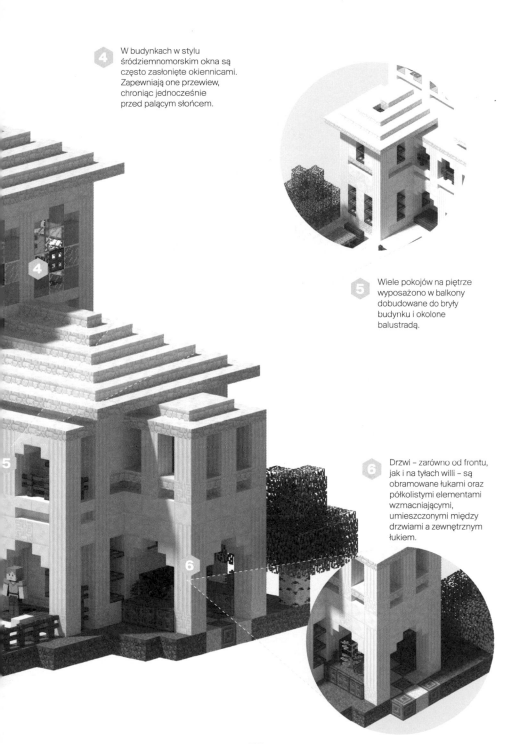

4 W budynkach w stylu śródziemnomorskim okna są często zasłonięte okiennicami. Zapewniają one przewiew, chroniąc jednocześnie przed palącym słońcem.

5 Wiele pokojów na piętrze wyposażono w balkony dobudowane do bryły budynku i okolone balustradą.

6 Drzwi – zarówno od frontu, jak i na tyłach willi – są obramowane łukami oraz półkolistymi elementami wzmacniającymi, umieszczonymi między drzwiami a zewnętrznym łukiem.

WNĘTRZE EGZOTYCZNEJ WILLI

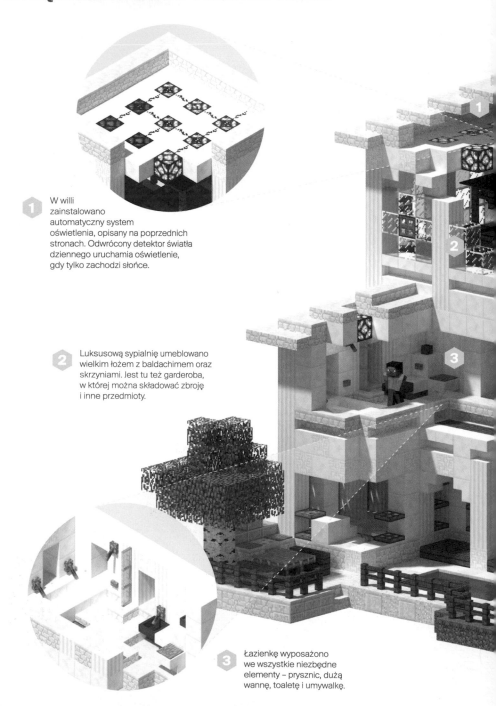

1 W willi zainstalowano automatyczny system oświetlenia, opisany na poprzednich stronach. Odwrócony detektor światła dziennego uruchamia oświetlenie, gdy tylko zachodzi słońce.

2 Luksusową sypialnię umeblowano wielkim łożem z baldachimem oraz skrzyniami. Jest tu też garderoba, w której można składować zbroję i inne przedmioty.

3 Łazienkę wyposażono we wszystkie niezbędne elementy – prysznic, dużą wannę, toaletę i umywalkę.

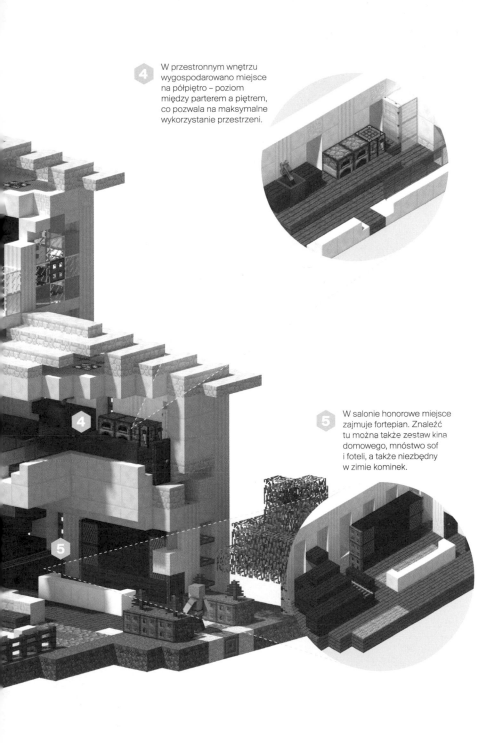

4 W przestronnym wnętrzu wygospodarowano miejsce na półpiętro – poziom między parterem a piętrem, co pozwala na maksymalne wykorzystanie przestrzeni.

5 W salonie honorowe miejsce zajmuje fortepian. Znaleźć tu można także zestaw kina domowego, mnóstwo sof i foteli, a także niezbędny w zimie kominek.

77

SYSTEM TRANSPORTU

Odległość między poziomem morza a skałą macierzystą wynosi 62 bloki. Transportowanie surowców z dna świata na jego szczyt (i odwrotnie) może nastręczać problemów. Sprytny system transportu znacznie ułatwi to zadanie.

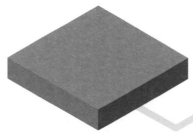

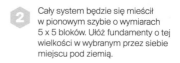

2 Cały system będzie się mieścił w pionowym szybie o wymiarach 5 x 5 bloków. Ułóż fundamenty o tej wielkości w wybranym przez siebie miejscu pod ziemią.

1 W naszym przykładzie system będzie transportował surowce z powierzchni ziemi na sam dół. Oto jego dolna część. Musisz umieścić za skrzynią lej, a dwa bloki dalej komparator, aby kontrolować zawartość skrzyni.

4 Teraz stwórz obwód czerwonego kamienia. Dodaj najpierw dodatkowe bloki gliny, następnie pył czerwonego kamienia i czerwoną pochodnię, tak jak na obrazku.

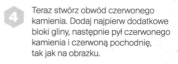

3 Umieść nad lejem zasilaną szynę. Kiedy wagonik z pełną skrzynią dotrze do leja, jej zawartość zostanie wyładowana. Gdy skrzynia będzie pusta, wagonik wróci po szynach.

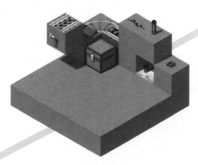

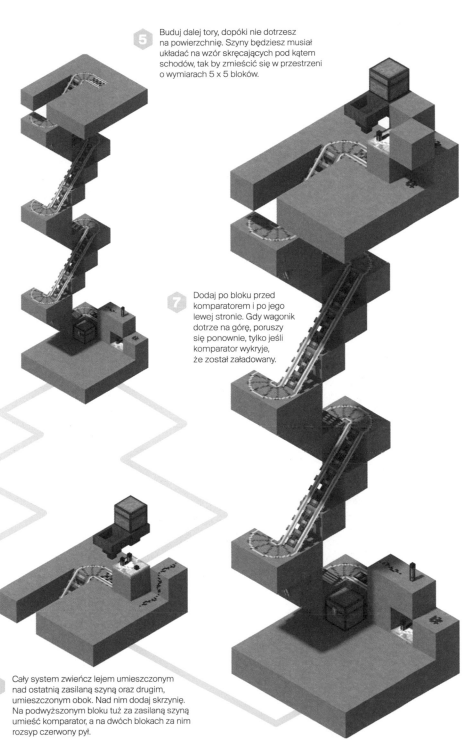

5 Buduj dalej tory, dopóki nie dotrzesz na powierzchnię. Szyny będziesz musiał układać na wzór skręcających pod kątem schodów, tak by zmieścić się w przestrzeni o wymiarach 5 x 5 bloków.

7 Dodaj po bloku przed komparatorem i po jego lewej stronie. Gdy wagonik dotrze na górę, poruszy się ponownie, tylko jeśli komparator wykryje, że został załadowany.

6 Cały system zwieńcz lejem umieszczonym nad ostatnią zasilaną szyną oraz drugim, umieszczonym obok. Nad nim dodaj skrzynię. Na podwyższonym bloku tuż za zasilaną szyną umieść komparator, a na dwóch blokach za nim rozsyp czerwony pył.

ROZWIĄZANIA SYSTEMU TRANSPORTU

Istnieje wiele sposobów na rozbudowanie systemu transportu
i dostosowanie go do twoich potrzeb. Poniżej znajdziesz przykłady,
z których możesz czerpać inspiracje.

SYSTEM MANUALNY Z LEJEM

Jeżeli wydobywasz surowce w kilku lokalizacjach naraz, możesz stworzyć prosty system z lejem, który nie wymaga zastosowania obwodu czerwonego kamienia.

STACJA
Jednym ze sposobów na zamaskowanie obwodu czerwonego kamienia jest zbudowanie na poziomie ziemi stacji końcowej.

SYSTEM PODZIEMNY
Możesz zbudować cały podziemny system transportowy, którym połączysz różne obszary wydobycia. Jeżeli chcesz przestawiać szyny na zwrotnicy, dodaj po prostu dźwignię lub przycisk, tak jak na obrazku.

81

STACJA BADAWCZA

Stacja badawcza to szklana konstrukcja zbudowana wokół zmodyfikowanej kopuły, z wejściem nad poziomem morza. Budowla, wzniesiona z wytrzymałego żelaza i pokryta szkłem, to prawdziwy cud techniki.

STYL INDUSTRIALNY

BARWY DOPEŁNIAJĄCE

PLANY

Większa część stacji badawczej mieści się pod wodą, jednak główny szyb prowadzi na powierzchnię, gdzie łączy się z platformą i przystanią dla łodzi. W kopule jest niewiele miejsca, więc nie wydzielono tu osobnych pomieszczeń – wszystko rozmieszczono w otwartej przestrzeni.

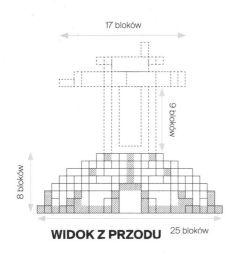

WIDOK Z PRZODU

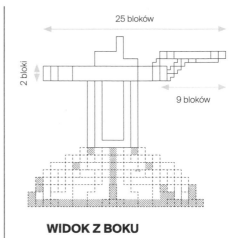

WIDOK Z BOKU

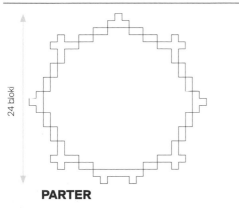

PARTER

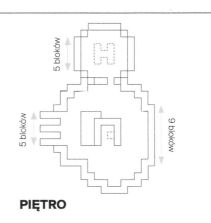

PIĘTRO

OCEAN

IDEALNA LOKALIZACJA

Mroczne głębiny biomu oceanicznego to doskonała lokalizacja stacji badawczej – choć w razie potrzeby można wykorzystać też dno jeziora czy rzeki. Najlepiej jest umiejscowić tę budowlę na skraju biomu, tak by mieć dostęp do lądu i pozyskiwanych tam surowców.

WYGLĄD STACJI BADAWCZEJ

1 Centralny szyb jest wystarczająco
szeroki, by zmieścił się w nim
system transportu. Obwód
czerwonego kamienia można
umieścić w kopule
bądź w dobudówce.

2 Sama kopuła ma kształt półkuli i jest
wykonana z warstw koncentrycznych
kół, z cylindrycznym wejściem
umieszczonym na szczycie.

3 Zamiast szyb w konstrukcji
użyto szklanych bloków –
łatwiej jest z nich uzyskiwać
pożądane kształty.

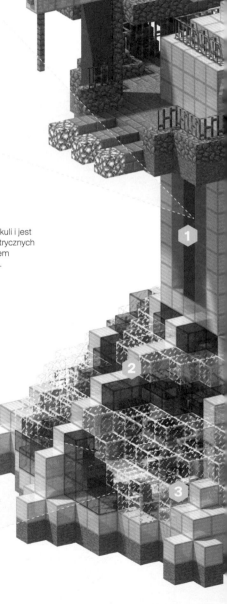

Platforma na szczycie szybu pozwala przemieszczać się między stacją badawczą i lądem. Jest tu mnóstwo miejsca na załadunek i rozładunek towarów.

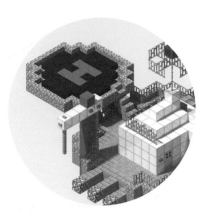

Wielkie konstrukcje, takie jak ta, wymagają wzmocnienia, szczególnie głęboko pod wodą, gdzie panuje wysokie ciśnienie. Możesz w tym celu wykorzystać na zewnątrz łęki przyporowe, a wewnątrz kolumny.

Stacja badawcza jest osadzona pod wodą na żelaznych fundamentach, które otaczają podstawę kopuły od wewnątrz i od zewnątrz.

WNĘTRZE STACJI BADAWCZEJ

1 Mieszkańcy stacji nie cierpią na nadmiar wolnego miejsca, dlatego zamiast łóżek zamontowano tu piętrowe prycze.

2 Wszyscy pracownicy stacji badawczej mają dostęp do pracowni, wyposażonej w komputer i stoły laboratoryjne.

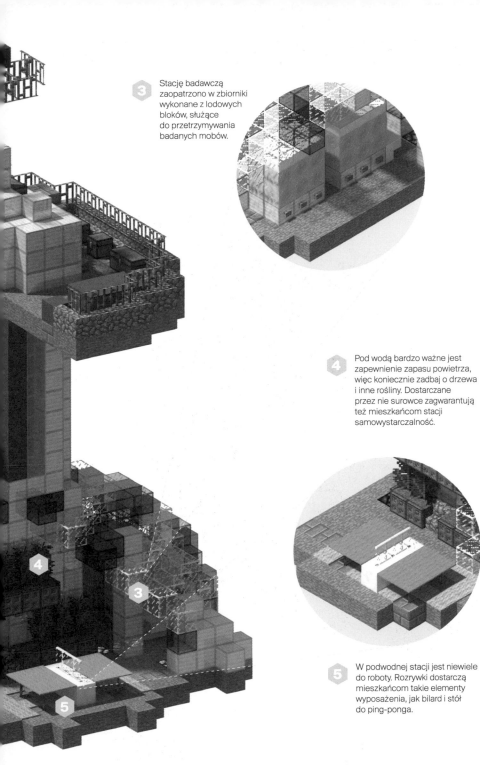

3 Stację badawczą zaopatrzono w zbiorniki wykonane z lodowych bloków, służące do przetrzymywania badanych mobów.

4 Pod wodą bardzo ważne jest zapewnienie zapasu powietrza, więc koniecznie zadbaj o drzewa i inne rośliny. Dostarczane przez nie surowce zagwarantują też mieszkańcom stacji samowystarczalność.

5 W podwodnej stacji jest niewiele do roboty. Rozrywki dostarczą mieszkańcom takie elementy wyposażenia, jak bilard i stół do ping-ponga.

STATEK POWIETRZNY

Ten steampunkowy statek to połączenie technologii rodem z epoki wiktoriańskiej z elementami SF. A jednak wykorzystane w konstrukcji kształty oraz elementy funkcjonalne mają więcej wspólnego ze zwykłymi budynkami, niż się przypuszcza.

STYL STEAMPUNKOWY

TRIADA BARW

PLANY

Balon statku ma kształt owalny niczym jajo. Został stworzony w sposób podobny do kuli, ale największe koło zostało powielone wielokrotnie, aby uzyskać wydłużoną sylwetkę. Kadłub jest nieregularny, jednak jego przekrój przypomina odwrócony trójkąt.

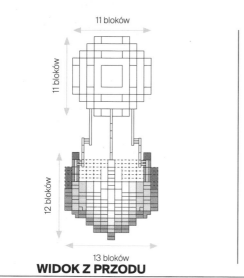

WIDOK Z PRZODU

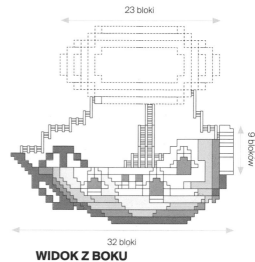

WIDOK Z BOKU

PARTER

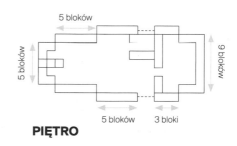

PIĘTRO

MIASTO KRESU

IDEALNA LOKALIZACJA

Statek powietrzny nie potrzebuje lądu, jednak aby zacząć budowanie na niebie, musisz położyć gdzieś fundamenty konstrukcji. Statek można stworzyć w każdym biomie, jednak do jego zjawiskowego charakteru najlepiej będą pasowały fantastyczne krajobrazy miasta Kresu, pełne niezwykłych barw, pokrzywionych wież i dryfujących pirackich okrętów.

WYGLĄD STEAMPUNKOWEGO STATKU

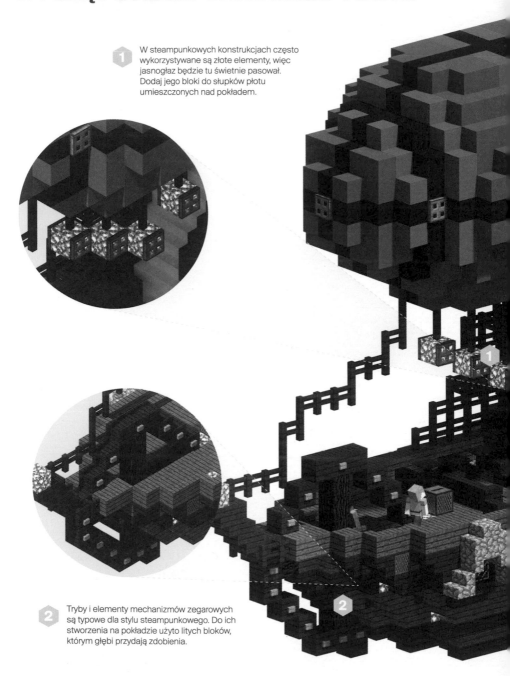

1 W steampunkowych konstrukcjach często wykorzystywane są złote elementy, więc jasnogłaz będzie tu świetnie pasował. Dodaj jego bloki do słupków płotu umieszczonych nad pokładem.

2 Tryby i elementy mechanizmów zegarowych są typowe dla stylu steampunkowego. Do ich stworzenia na pokładzie użyto litych bloków, którym głębi przydają zdobienia.

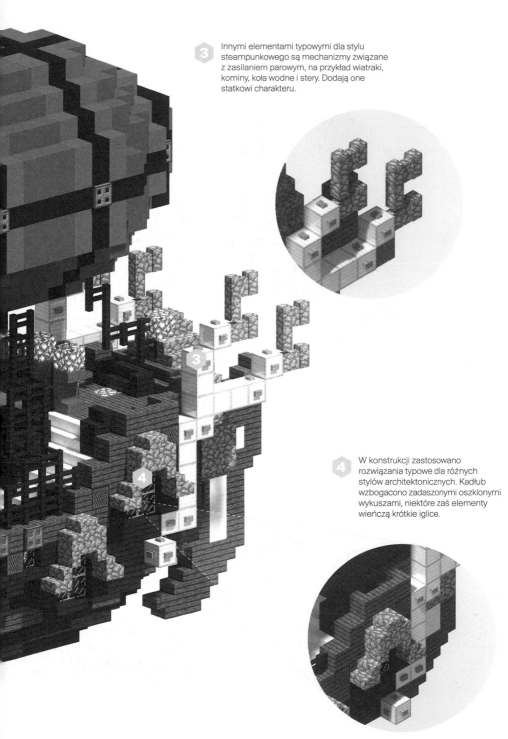

Innymi elementami typowymi dla stylu steampunkowego są mechanizmy związane z zasilaniem parowym, na przykład wiatraki, kominy, koła wodne i stery. Dodają one statkowi charakteru.

W konstrukcji zastosowano rozwiązania typowe dla różnych stylów architektonicznych. Kadłub wzbogacono zadaszonymi oszklonymi wykuszami, niektóre zaś elementy wieńczą krótkie iglice.

WNĘTRZE STEAMPUNKOWEGO STATKU

1 Wnętrze zawdzięcza swój steampunkowy wygląd takim elementom, jak dźwignie, oprawione w ramki mapy, sztandary oraz staroświecki zegar.

2 W kambuzie jest wszystko, co powinno się znaleźć w prawdziwej kuchni. Są tu: kuchenki, lodówki i mnóstwo miejsca do siedzenia.

3 Podłogę pokładu wykonano z tłoków, co nadaje jej iście steampunkowy styl.

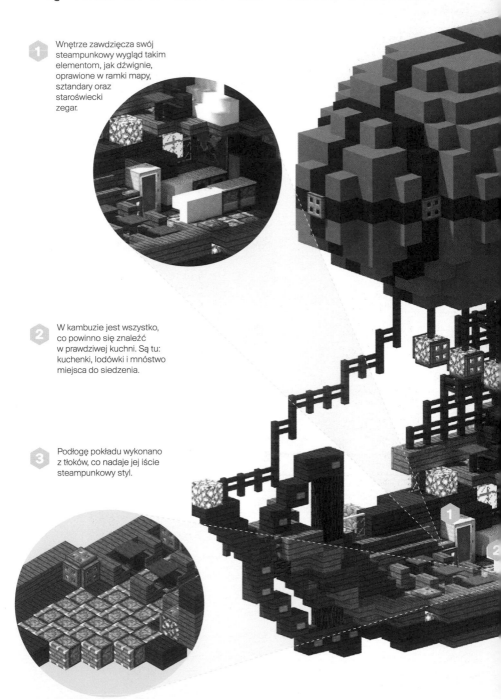

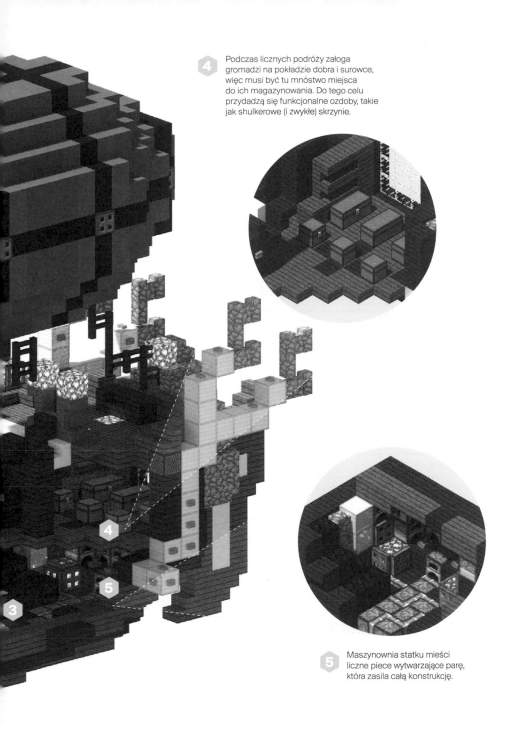

Podczas licznych podróży załoga gromadzi na pokładzie dobra i surowce, więc musi być tu mnóstwo miejsca do ich magazynowania. Do tego celu przydadzą się funkcjonalne ozdoby, takie jak shulkerowe (i zwykłe) skrzynie.

Maszynownia statku mieści liczne piece wytwarzające parę, która zasila całą konstrukcję.

POSŁOWIE

Gratulacje! Właśnie dotarłeś do końca *Podręcznika kreatywnego budowania*. Mamy nadzieję, że zdołaliśmy zainspirować cię do stworzenia czegoś naprawdę niesamowitego.

Jedną z najlepszych cech trybu kreatywnego jest to, że nie ma w nim właściwego sposobu grania. Każdy wyznacza sobie własne cele. Nigdy nie zniechęcaj się, gdy zobaczysz niezwykłe budowle wzniesione przez innych graczy. Pamiętaj, że znaczna liczba konstrukcji, które znajdziesz w internecie, to efekt wielomiesięcznej pracy zespołów złożonych z doświadczonych graczy.

Możesz również czuć się przytłoczony nieograniczonym dostępem do surowców, jednak to wcale nie olbrzymi wybór bloków przesądza o efekcie twojej pracy. Znacznie ważniejsze jest kierowanie się własną wizją – niezależnie od tego, czy chcesz stworzyć drapacz chmur, górujący dumnie nad horyzontem, czy skromną leśną chatkę.

Dosyć czytania! Do dzieła!

OWEN JONES
ZESPÓŁ MOJANG

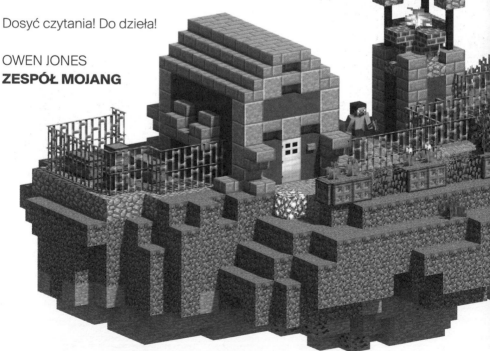